'A Book of Mad Cells

'A Book of Mad Celts'

John Wickens and the Celtic Congress of Caernarfon 1904

John Wickens a Chyngres Geltaidd Caernarfon 1904

MARION LÖFFLER

First Impression—2000
Argraffiad cyntaf—2000

ISBN 1 85902 896 9

Printed in Wales by
Gomer Press, Llandysul, Ceredigion

Argraffwyd yng Nghymru gan
Wasg Gomer, Llandysul, Ceredigion

FOREWORD

It is a privilege to present to the public this extremely stimulating volume which is based on research carried out at the University of Wales Centre for Advanced Welsh and Celtic Studies. One cannot fail to be impressed by the striking photographs contained in this volume and also by the fascinating story which lies behind them, told so skilfully by Dr Marion Löffler.

It gives me particular pleasure to acknowledge the support received from the staff of the Centre for Welsh and Celtic Studies, especially Ms Lindsay Clements and Mrs Glenys Howells, the staff of the National Library of Wales, especially Dr Ceridwen Lloyd-Morgan, the staff of the Gwynedd Archives Service at Caernarfon, Ms Pat West of Bangor Museum, the staff of the Royal Photographic Society at Bath, and the Manx Museum and Library at Douglas, especially its Librarian Mr Roger Sims. We gratefully acknowledge the financial support received towards printing costs from the Jane Hodge Foundation.

Our greatest debt, however, is to the descendants of John Wickens, notably Mr Nigel Hewitt, whose tireless researches into the history of his family and generosity in sharing his knowledge have eased the author's task considerably. We are grateful also to him and his cousin Mrs E. M. Clapson for permission to reproduce the photographs in their possession. We very much hope that this publication is a fitting memorial to John Wickens and his work.

Geraint H. Jenkins   Director
University of Wales
Centre for Advanced Welsh
and Celtic Studies

RHAGAIR

Hyfrydwch o'r mwyaf yw cyflwyno i'r cyhoedd gyfrol eithriadol o ddifyr sy'n seiliedig ar ymchwil a gyflawnwyd yng Nghanolfan Uwchefrydiau Cymreig a Cheltaidd Prifysgol Cymru. Ni allaf lai na rhyfeddu at y lluniau trawiadol a gynhwysir yn y gyfrol hon a hefyd at y stori gyfareddol a draddodir mor gelfydd gan Dr Marion Löffler.

Y mae'n bleser cydnabod y cymorth a gafwyd gan staff y Ganolfan Geltaidd, yn enwedig Ms Lindsay Clements a Mrs Glenys Howells, gan staff Llyfrgell Genedlaethol Cymru, yn enwedig Dr Ceridwen Lloyd-Morgan, gan staff Gwasanaeth Archifau Gwynedd yng Nghaernarfon, gan Ms Pat West yn Amgueddfa Bangor, gan staff y Gymdeithas Ffotograffig Frenhinol yng Nghaerfaddon, a chan Amgueddfa a Llyfrgell Manaw yn Douglas, yn enwedig ei Llyfrgellydd Mr Roger Sims. Cydnabyddir yn ddiolchgar y gefnogaeth ariannol a gafwyd tuag at y costau argraffu oddi wrth Ymddiriedolaeth Jane Hodge.

Y mae ein diolch pennaf, serch hynny, i ddisgynyddion John Wickens, yn enwedig Mr Nigel Hewitt, am ymchwilio mor ddyfal i hanes ei deulu a'i barodrwydd hael i rannu ei wybodaeth â ni. Diolchir hefyd iddo ef a'i gyfnither Mrs E. M. Clapson am ganiatâd i atgynhyrchu'r lluniau sydd yn eu meddiant. Yr ydym yn mawr obeithio bod y cyhoeddiad hwn yn goffâd teilwng i John Wickens a'i waith.

Geraint H. Jenkins   Cyfarwyddwr
Canolfan Uwchefrydiau Cymreig
a Cheltaidd Prifysgol Cymru

John Wickens
(1864–1936)

The photographer at work:
John Wickens (1864–1936)

Y ffotograffydd wrth ei waith:
John Wickens (1864–1936)

The Photographer in his Time

The career of John Wickens offers incontestable proof that one does not have to grow up in Wales to be counted a Welsh artist. Although he was born in the South Downs, the overwhelming bulk of his work depicts the people and places of north Wales seen through the lens of a sympathetic inside observer. Yet he never denied his origins and thus retained strong bonds with both his old and new home:

> Those who are familiar with the extraordinary charm of the Menai Straits (on the banks of which I have lived for years) would certainly conclude that nature had nowhere charms strong enough to lure me, but they would be wrong. The mere mention of the South Downs will upset me at any moment and I feel now that simply reading a few of your articles will mean a double railway fare from North Wales to Peacehaven during the coming Summer. I can smell the wild Thyme, feel the spring of the turf, and hear the tinkle of the sheep-bells already. This in turn revives memories far back of an extremely happy boyhood spent in one of the quaintest of Sussex villages.[1]

That quaintest of Sussex villages was Keymer, where John Wickens was born on 27 October 1864 to Isaac Wickens, a carpenter and journeyman, and his wife Amelia. Of his childhood, John Wickens best remembered the days spent with an old shepherd, when they 'lay on the soft turf surrounded by the song of the soaring larks and the scent of the innumerable wild flowers'.[2] His schooldays, on the other hand, only left an impression of 'the constant examination of hands and the rapidity with which those hands were pushed and turned over before the awful teacher', and 'the holiday granted to the children when the foxhounds had their "meet" at the Inn. This was a great day, chiefly because after lunch at the Inn we were assembled in our best clothes, highly polished boots, faces and hands, grouped in a semi-circle, awaiting with eager expectancy the coming of the master of the hounds'.[3] The boy seemed to be more at home in the fields and pastures, taking in nature with all his senses, than at school and in academic surroundings.

The 1881 census records him as living in Brighton, as a guest or possibly a lodger, in the house of his sister Jane and her husband Henry Hewitt. By that time Wickens had served an apprenticeship, possibly in the same town, and he

[1] John Wickens, 'Downland "Little Picture"', *Peacehaven Post*, August 1923. I am grateful to Mrs E. M. Clapson, great-niece of the photographer, for drawing my attention to this reference.
[2] Ibid.
[3] Ibid.

Y Ffotograffydd yn ei Ddydd

Y mae gyrfa John Wickens yn brawf digamsyniol nad oes rhaid i rywun fod wedi ei fagu yng Nghymru i gael ei gyfrif yn artist Cymreig. Er mai'r South Downs oedd ei ardal enedigol, y mae'r rhan helaethaf o waith John Wickens yn darlunio pobl a lleoedd yng ngogledd Cymru, a hynny trwy lygad sylwebydd a oedd yn llawn cydymdeimlad. Eto i gyd, ni wadodd erioed mo'i wreiddiau ac o'r herwydd yr oedd ei hen gartref yn ogystal â'i gartref newydd yn agos iawn at ei galon:

> Those who are familiar with the extraordinary charm of the Menai Straits (on the banks of which I have lived for years) would certainly conclude that nature had nowhere charms strong enough to lure me, but they would be wrong. The mere mention of the South Downs will upset me at any moment and I feel now that simply reading a few of your articles will mean a double railway fare from North Wales to Peacehaven during the coming Summer. I can smell the wild Thyme, feel the spring of the turf, and hear the tinkle of the sheep-bells already. This in turn revives memories far back of an extremely happy boyhood spent in one of the quaintest of Sussex villages.[1]

Ganwyd John Wickens ym mhentref Keymer ar 27 Hydref 1864 yn fab i Isaac Wickens, saer coed a labrwr, a'i wraig Amelia. Ymhlith ei atgofion melysaf am ei blentyndod yr oedd y dyddiau a dreuliodd yng nghwmni hen fugail. Byddai'r bachgen yn gorwedd ar 'the soft turf surrounded by the song of the soaring larks and the scent of the innumerable wild flowers'.[2] Ar y llaw arall, prin oedd ei atgofion am ei ddyddiau ysgol, ac eithrio 'the constant examination of hands and the rapidity with which those hands were pushed and turned over before the awful teacher (and) the holiday granted to the children when the foxhounds had their "meet" at the Inn. This was a great day, chiefly because after lunch at the Inn we were assembled in our best clothes, highly polished boots, faces and hands, grouped in a semi-circle, awaiting with eager expectancy the coming of the master of the hounds'.[3] I bob golwg, yr oedd y bachgen hwn yn fwy cartrefol yn mwynhau byd natur yn y caeau nag yng nghaethiwed yr ysgol ac yn y byd academaidd.

Erbyn cyfrifiad 1881 yr oedd wedi symud i Brighton, ac yn preswylio fel gwestai neu o bosibl fel lletywr yn nhŷ ei chwaer Jane a'i gŵr Henry Hewitt. Erbyn hynny, yr oedd John

[1] John Wickens, 'Downland "Little Picture"', *Peacehaven Post*, Awst 1923. Yr wyf yn ddyledus i Mrs E. M. Clapson, gor-nith i'r ffotograffydd, am dynnu fy sylw at y cyfeiriad hwn.
[2] Ibid.
[3] Ibid.

3

[4] PRO, R. G. 11/1088. Census of 1881, Civil Parish of Brighton, Municipal Ward of St. Nicholas, 1 West Hill Road. I am grateful to Mr Nigel Hewitt, great-nephew of the photographer, for allowing me access to his researches into the history of the family.

[5] *Slater's . . . Directory of North and South Wales* (Manchester, 1880), p. 21; *Postal Directory of Carnarvonshire and Anglesey . . .* (Liverpool, 1886), p. 59. In both directories John Williams is listed under '10 The Crescent, Upper Bangor', as a 'Printer' in 1880 and a 'Photographer' in 1886.

[6] *Sutton's Directory of North Wales . . . 1889–1890* (Manchester, 1889), pp. 68, 70, 75.

[7] I owe this information to the courtesy of Gill Thompson, Librarian of the Royal Photographic Society Collection, Bath.

[8] *Slater's Directory of North and Mid Wales* (Manchester, 1895), p. 60; *Trades' Directory of Wales, Accompanied with a Gazetteer of England* (Birmingham, 1903), pp. 49, 51.

Retina Studio, 2 College Road, Upper Bangor   Retina Studio, 2 Ffordd y Coleg, Bangor Uchaf

called himself a photographer and printer.[4] From Brighton he moved to Tonbridge, where he lodged with the photographer Frederick Cook of 141 High Street. During this period he met the photographer Elizabeth Williams, daughter of the Bangor photographer and printer John Williams.[5] They were married on 5 April 1885 and soon moved to north Wales, where their daughter Amelia's birth was registered in Upper Bangor on 10 June 1888. By 1889 John Wickens was established as one of the four photographers in town. He had taken over the business at 10 The Crescent, Upper Bangor, from John Williams, Elizabeth's father.[6] In 1894 Wickens joined the Royal Photographic Society and in 1895 he was admitted to the Fellowship.[7] In the same year the business moved to 2 College Road, Upper Bangor. By 1903 Wickens owned two premises: the Retina Studio at 2 College Road, and the Photographic Studio at 43 High Street, Bangor.[8]

Wickens wedi bwrw ei brentisiaeth, yn yr un dref o bosibl, ac fe'i galwai ei hun yn ffotograffydd ac yn argraffydd.[4] Symudodd o Brighton i Tonbridge, lle y lletyai gyda'r ffotograffydd Frederick Cook yn 141 High Street. Yn ystod y cyfnod hwn y cyfarfu â'r ffotograffydd Elizabeth Williams, merch John Williams, ffotograffydd ac argraffydd ym Mangor.[5] Priododd y ddau ar 5 Ebrill 1885 a symud yn fuan wedyn i ogledd Cymru. Ar 10 Mehefin 1888 cofrestrwyd genedigaeth eu merch Amelia ym Mangor Uchaf. Erbyn 1889 yr oedd John Wickens wedi ymsefydlu fel un o bedwar ffotograffydd yn y dref, gan gymryd drosodd fusnes John Williams, tad Elizabeth, yn 10 The Crescent, Bangor Uchaf.[6] Ym 1894 ymunodd â'r Gymdeithas Ffotograffig Frenhinol ac ym 1895 fe'i hetholwyd yn Gymrawd ohoni.[7] Yn yr un flwyddyn symudodd y busnes i 2 Ffordd y Coleg, Bangor Uchaf. Erbyn 1903 yr oedd yn berchen ar ddau adeilad: Retina Studio, 2 Ffordd y Coleg, a Photographic Studio, 43 Stryd Fawr, Bangor.[8]

Yr oedd Wickens wedi cyrraedd Bangor ar adeg gyfleus iawn, oherwydd pan gynhaliwyd yr Eisteddfod Genedlaethol yno ym 1890, cafodd gyfle i arddangos ei ddawn fel ffotograffydd ac i greu cysylltiadau gwerthfawr. Dyma pryd y derbyniwyd Brenhines Elizabeth o Rwmania i'r Orsedd fel 'Carmen Sylva', sef y ffugenw a ddefnyddiai wrth gyhoeddi ei cherddi a'i gweithiau llenyddol eraill. Ym 1898 arddangoswyd dau o ffotograffau Wickens, sef 'Wild Wales' a 'A Leap in the Dark', yn yr Arddangosfa Ryngwladol a drefnwyd gan y Gymdeithas Ffotograffig Frenhinol yn y Palas Grisial. Bu hynny'n sicr yn fodd iddo ennill rhagor o fri.[9] Yr oedd sôn ar led hefyd fod trydydd ffotograff, sef 'The Three Graces', wedi ennill y brif wobr mewn cystadleuaeth genedlaethol yn y Palas Grisial.[10] Erbyn 1902, pan ymwelodd yr Eisteddfod Genedlaethol â Bangor unwaith eto, yr oedd Wickens wedi hen ymsefydlu fel ffotograffydd o bwys. Dewiswyd rhai o'i luniau, ynghyd â rhai gan Isaac Slater, ffotograffydd o Fae Colwyn ac aelod o'r Academi Frenhinol Gymreig, i harddu'r cyntedd i'r Arddangosfa Gelf a Chrefft. Daeth Wickens hefyd yn aelod er anrhydedd o'r Orsedd dan yr enw 'Gwawl-lunydd'.[11]

[4] PRO, R. G. 11/1088. Cyfrifiad 1881, Plwyf Sifil Brighton, Ward Trefol St Nicholas, 1 West Hill Road. Diolchaf i Mr Nigel Hewitt, gor-nai i'r ffotograffydd, am ganiatáu i mi weld ffrwyth ei ymchwil i hanes y teulu.

[5] Slater's . . . Directory of North and South Wales (Manchester, 1880), t. 21; Postal Directory of Carnarvonshire and Anglesey . . . (Liverpool, 1886), t. 59. Yn y ddau gyfarwyddiadur rhestrir John Williams dan '10 The Crescent, Upper Bangor', fel 'Printer' ym 1880 ac fel 'Photographer' ym 1886.

[6] Sutton's Directory of North Wales . . . 1889–1890 (Manchester, 1889), tt. 68, 70, 75.

[7] Cafwyd yr wybodaeth hon trwy garedigrwydd Gill Thompson, Llyfrgellydd Casgliad y Gymdeithas Ffotograffig Frenhinol, Caerfaddon.

[8] Slater's Directory of North and Mid Wales (Manchester, 1895), t. 60; Trades' Directory of Wales, Accompanied with a Gazetteer of England (Birmingham, 1903), tt. 49, 51.

[9] Cafwyd yr wybodaeth hon trwy garedigrwydd Gill Thompson, Llyfrgellydd Casgliad y Gymdeithas Ffotograffig Frenhinol, Caerfaddon; y mae'r ffotograffau yn anhysbys.

[10] North Wales Chronicle, 26 Mehefin 1936. Hyd yn hyn, nid oes yr un o'r ffotograffau yn hysbys.

[11] North Wales Observer and Express, 12 Medi 1902. Yn wahanol i Slater ymddengys nad oedd Wickens yn perthyn i'r Academi Frenhinol Gymreig, nac ychwaith i unrhyw un o'r cymdeithasau ffotograffig rhanbarthol, megis Cymdeithas Ffotograffig Birmingham neu Gymdeithas Ffotograffig Amatur Lerpwl. Un o'r geiriau a fathwyd ar gyfer ffotograff ar ddechrau'r ugeinfed ganrif oedd 'gwawl-lun'.

'Carmen Sylva', Queen Elizabeth of Romania, on the stage at the Bangor National Eisteddfod of 1890

'Carmen Sylva', Brenhines Elizabeth o Rwmania, ar lwyfan Eisteddfod Genedlaethol Bangor, 1890

[9] I owe this information to the courtesy of Gill Thompson, Librarian of the Royal Photographic Society Collection, Bath; the photographs are unidentified.

[10] *North Wales Chronicle*, 26 June 1936. None of the photographs have been identified to date.

Wickens had arrived in Bangor at the right time. In 1890 the Bangor National Eisteddfod, at which Queen Elizabeth of Romania was admitted to the Gorsedd as 'Carmen Sylva' (the pseudonym under which she published her poems and other literary works), gave him a first opportunity to display his photographic talent and establish valuable connections. In 1898 he exhibited two photographs, 'Wild Wales' and 'A Leap in the Dark', in the International Exhibition organized by the Royal Photographic Society at the Crystal Palace, which must have further enhanced his reputation.[9] A third photograph, 'The Three Graces', was even rumoured to have been given 'the premier award in a national competition at Crystal Palace'.[10] By 1902, when the National Eisteddfod returned to Bangor, Wickens was well-established. His pictures, together with those of Isaac Slater, a photographer from Colwyn Bay and a member of the Royal Cambrian Academy,

Dyma'r tro cyntaf iddo dynnu lluniau cynrychiolwyr y cenhedloedd Celtaidd, gan wneud hynny ar yr un pryd ag y gwnaeth yr enwog Syr Benjamin Stone (1836–1914) a oedd yn teithio trwy Gymru a'r Alban yn cofnodi arferion a defodau'r trigolion ar gyfer ei 'National Photographic Record'.[12] Wrth dynnu lluniau'r cynrychiolwyr yn y Gyngres Geltaidd

yng Nghaernarfon ym 1904, y mae'n ddiau fod Wickens wedi efelychu'r arddull a ddefnyddiodd ei gyfaill enwocach ddwy flynedd ynghynt.

Erbyn i John Wickens gyrraedd Bangor yr oedd nifer o golegau yn y dref. Rhwng Coleg y Bedyddwyr, y Coleg Normal a Choleg Prifysgol Gogledd Cymru yr oedd digon o gwsmeriaid i gadw'r ddwy stiwdio yn brysur. Gan fod un

Pan-Celts and the Gorsedd of the Bards at the Bangor National Eisteddfod of 1902

Pan-Geltiaid a Gorsedd y Beirdd yn Eisteddfod Genedlaethol Bangor, 1902

[12] *North Wales Observer and Express*, 19 Medi 1902. Cedwir oddeutu ugain mil o ddelweddau yn 'The Sir Benjamin Stone Collection of Photographs, c.1860–1910' yn Llyfrgell Ganolog Birmingham. Ceir y delweddau Cymreig yn Llyfrgell Genedlaethol Cymru (LlGC), Adran Darluniau a Mapiau, Albwm Lluniau 1244. Cynhwyswyd rhai lluniau o Eisteddfod Genedlaethol 1902 yn Syr Benjamin Stone, *Sir Benjamin Stone's Pictures: Records of National Life and History. Volume I. Festivals, Ceremonies and Customs* (London, 1906), tt. 25–7.

Sir Benjamin Stone Collection, summer 1902: 'An Ancient Surviving Custom. Cadvan the Bard attached to an old family, that of Col. Charles Hunter, of the ancient house and estate of Plas Coch, Llanfairpwyll, Anglesey'.

Casgliad Syr Benjamin Stone, haf 1902: 'An Ancient Surviving Custom. Cadvan the Bard attached to an old family, that of Col. Charles Hunter, of the ancient house and estate of Plas Coch, Llanfairpwyll, Anglesey'.

[11] *North Wales Observer and Express*, 12 September 1902. Unlike Slater, Wickens does not seem to have belonged to the Royal Cambrian Academy, nor to any of the regional photographic societies, such as the Birmingham Photographic Society or the Liverpool Amateur Photographic Society. 'Gwawl-lun' was one of the Welsh words coined for 'photograph' at the beginning of the twentieth century.

[12] *North Wales Observer and Express*, 19 September 1902. About twenty thousand surviving images are kept in the 'Sir Benjamin Stone Collection of Photographs, c.1860–1910' at Birmingham Central Library. Welsh images may be found at the National Library of Wales (NLW), Department of Pictures and Maps, Album 1244. Some of the images of the 1902 National Eisteddfod were included in Sir Benjamin Stone, *Sir Benjamin Stone's Pictures: Records of National Life and History. Volume I. Festivals, Ceremonies and Customs* (London, 1906), pp. 25–7.

were chosen to line the entrance hall to the Arts and Craft Exhibition and he was admitted as an honorary member of the *Gorsedd* under the name 'Gwawl-lunydd'.[11] It was there that he first took photographs of the representatives of the Celtic nations, together with the famous Sir Benjamin Stone (1836–1914), who was travelling Wales and Scotland in order to record the manners and customs of their inhabitants for his National Photographic Record.[12] It is likely that Wickens modelled his work with the delegates of the Celtic Congress at Caernarfon two years later on the style used by his more famous colleague in 1902.

By the time John Wickens arrived in Bangor the town was well-endowed with colleges. The Baptist College, the Normal College and the University College of North Wales all provided customers, ensuring a steady income for the two

Casgliad Syr Benjamin Stone, Eisteddfod Genedlaethol 1902: Mr a Mrs A. P. Graves a Mr G. Blake, Arwyddfardd Gorsedd y Beirdd

Sir Benjamin Stone Collection, National Eisteddfod 1902: Mr and Mrs A. P. Graves and Mr G. Blake, Herald Bard of the Gorsedd of the Bards

ohonynt gyferbyn ag adeiladau'r colegau, yr oedd Wickens mewn llecyn delfrydol i ddenu busnes. Nid gormodiaith fyddai dweud mai ef i bob pwrpas oedd ffotograffydd *de facto* y Coleg Normal a Choleg y Brifysgol. Tynnodd gyfres o luniau cardiau post yn hysbysebu'r dref a'i

cholegau, yn ogystal â nifer o ffotograffau swyddogol a phortreadau o ddinasyddion blaenllaw.[13] Ymddangosodd Cymro enwocaf yr oes, David Lloyd George, mewn cyfres o ffotograffau, pob un ohonynt yn arddangos yr wybodaeth am ei fwyafrif yn y gwahanol etholiadau. Gwelid bywyd cymdeithasol y dref a'i cholegau hefyd yn y lluniau a dynnodd Wickens o dimau chwaraeon, grwpiau theatr a pherfformio, a cherddorfeydd.

O ddechrau'r 1920au ymlaen nid oes sôn am y ddwy stiwdio dan enw Wickens yn y cyfarwyddiaduron masnachol. Y mae'r eglurhad i'w gael yn y llythyr canlynol, dyddiedig 10 Medi 1931, a anfonwyd gan Stanley Davies at Syr John Herbert Lewis, a barlyswyd mewn damwain car ym 1925:

> Old Mr. Wickens, the well known photographer of Bangor, is quite blind, he lost his sight in middle life – but, notwithstanding his terrible affliction he has a sublime faith and a real gaiety of spirit. Someone asked him, some time ago, how he could be so happy with such a deprivation and the old man answered with a smile 'I have made the great surrender'. We must all make it some day but it is a wonderful triumph to be able to make it in the midst of the prosperity of life. I shall always feel that you, like Mr. Wickens, have left us all something that will last to the end.[14]

[13] J. Gwynn Williams, *The University College of North Wales. Foundations 1884–1927* (Cardiff, 1985), t. 260, plât 29.

[14] LlGC, Adran Llawysgrifau a Chofysgrifau, Papurau Syr John Herbert Lewis A1/567.

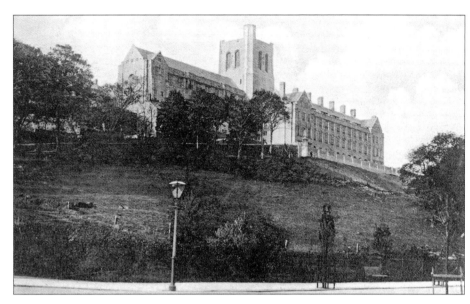

Advertising town and college: The University College of North Wales, Bangor

Hysbysebu tref a choleg: Coleg Prifysgol Gogledd Cymru, Bangor

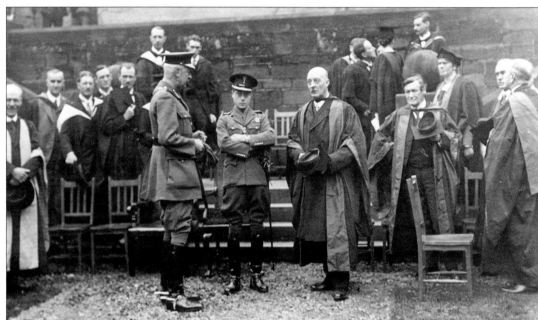

Pro-Chancellor Lord Kenyon, the Prince of Wales and Principal Sir Harry Reichel on the occasion of opening the Memorial Arch in Bangor in 1923

Y Dirprwy-Ganghellor Arglwydd Kenyon, Tywysog Cymru a'r Prifathro Syr Harry Reichel ar achlysur agor Bwa Coffa Bangor ym 1923

The YMCA Bangor
orchestra, 9 March 1904

Cerddorfa yr YMCA
Bangor, 9 Mawrth 1904

premises. With one studio opposite the college buildings, Wickens was ideally placed to satisfy their needs. It is probably no exaggeration to claim that he became the *de facto* college photographer of both the Normal College and the University College.[13] He was responsible for the postcard series advertising the town and its colleges, as well as numerous official photographs and portraits of prominent burghers. The most famous north Walian of his time, David Lloyd George, featured in a series of photographs, each showing the majority by which he had won elections. The social life of town and gown, too, was captured by Wickens in photographs of sports teams, theatre groups and performances, and orchestras.

References to both studios under the name of Wickens disappear from the trade directories in the early 1920s. The explanation is to be found in the following letter, dated 10 September 1931, sent by Stanley Davies to Sir John Herbert Lewis, who was paralysed by a car accident in 1925:

> Old Mr. Wickens, the well known photographer of Bangor, is quite blind, he lost his sight in middle life – but, notwithstanding his terrible affliction he has a sublime faith and a real gaiety of spirit. Someone asked him, some time ago, how he could be so happy with such a deprivation and the old man answered with a smile 'I have made the great surrender'. We must all make it some day but it is a wonderful triumph to be able to make it in the midst of the prosperity of life. I shall always feel that you, like Mr. Wickens, have left us all something that will last to the end.[14]

When John Wickens wrote his autobiographical sketch for the *Peacehaven Post* in 1923 he was already blind, but the business was carried on by his son-in-law, G. D. Evans, which explains why group photographs bearing the inscription Wickens appear well into the late 1920s, even though the studios were no longer listed under his name, and why people living in the area still recalled the premises long after the Second World War. John Wickens himself devoted the rest of his life to becoming an expert in Braille and to helping other people with similar afflictions. He actively supported the YMCA and played his viola in several orchestral societies in the Bangor district.[15] When he died, aged seventy-one, on 22 June 1936, his obituary not only praised this 'famed photographer' whose pictures 'adorn the walls of many residences in England and Wales' but also went to great lengths to stress his admirable qualities.[16]

[13] J. Gwynn Williams, *The University College of North Wales. Foundations 1884–1927* (Cardiff, 1985), p. 260, plate 29.

[14] NLW, Department of Manuscripts and Records, Sir John Herbert Lewis Papers A1/567.

[15] *North Wales Chronicle*, 26 June 1936.

[16] Ibid.

Y ffotograffydd ar ddiwedd ei yrfa: Hunanbortread wedi ei lofnodi

The photographer towards the end of his career: Signed self-portrait

Pan ysgrifennodd John Wickens ddarn hunangofiannol ar gyfer y *Peacehaven Post* ym 1923 yr oedd eisoes yn ddall, ond yr oedd ei fab yng nghyfraith, G. D. Evans, yn parhau â'r busnes. Dyna paham fod ffotograffau grŵp a dynnwyd yn niwedd y 1920au yn dal i ddwyn enw Wickens, a phaham hefyd fod pobl y dref a'i chyffiniau yn dal i gofio'r busnes rai blynyddoedd wedi'r Ail Ryfel Byd. Ymroes John Wickens am weddill ei oes i ddysgu *Braille* ac i

gynorthwyo deillion eraill. Rhoddai gefnogaeth ymarferol i'r YMCA a chwaraeai'r fiola mewn sawl cymdeithas gerddorol yng nghylch Bangor.[15] Pan fu farw ar 22 Mehefin 1936 yn 71 mlwydd oed, disgrifiwyd ef nid yn unig fel 'famed photographer' yr oedd ei luniau'n addurno 'the walls of many residences in England and Wales', ond mynegwyd hefyd werthfawrogiad dwfn o'i nodweddion clodwiw.[16]

Cipolwg ar waith beunyddiol ffotograffydd y stryd fawr a gafwyd hyd yn hyn. Ond dan yr enw 'Wickens' y mae Adran Darluniau a Mapiau Llyfrgell Genedlaethol Cymru hefyd yn rhestru mwy na 37 o gasgliadau o brintiau a chardiau post. Y mae'n amlwg i John Wickens ddatblygu'r ddwy wedd ar ei yrfa. Câi stiwdio'r Stryd Fawr ei rhestru dan 'photographers', ond dan 'artists' y ceir hyd i'r Retina yn y cofrestrau masnachol.[17] Yn yr hunaniaeth ddeublyg hon, ymddengys fod Wickens yn nodweddiadol o ddosbarth cyfan o ffotograffwyr yng Nghymru y pryd hwnnw. Enillai'r rhain eu bywoliaeth trwy

[15] *North Wales Chronicle*, 26 Mehefin 1936.

[16] Ibid.

[17] *Trades' Directory of Wales, Accompanied with a Gazetteer of England* (Birmingham, 1903), tt. 49, 51.

[17] *Trades' Directory of Wales, Accompanied with a Gazetteer of England* (Birmingham, 1903), pp. 49, 51.

[18] *North Wales Chronicle*, 26 June 1936. Framed prints may be found in the collections of the NLW, Department of Pictures and Maps, and at Bangor Museum. A large collection of glass plates and prints is kept in 'The John Wickens Collection of Glass Negatives and Photographs', Gwynedd Archives Service, Caernarfon County Archive, XS/1077.

The images displayed so far bear testimony to the high street photographer's daily work. Under 'Wickens', the Department of Pictures and Maps of the National Library of Wales alone lists over thirty-seven collections of prints and postcards. But John Wickens developed both sides of his career. The High Street studio was listed under 'photographers', while the Retina studio appeared under 'artists' in the trade registers.[17] In this dual identity, Wickens seems to have been characteristic of an entire class of high-street photographers in the Wales of his day, who, given the opportunity of covering events such as the National Eisteddfod and the national and Celtic revival, became famous by creating images which went beyond high-street photography.

The artist Wickens produced large framed landscapes and portraits, 'on which he spent a considerable time and which revealed a high level of artistry'.[18] Commissioned by wealthy individuals or corporations, they were hung in corridors leading to libraries or billiard rooms, and in public buildings. Some of the images still adorn the walls of the University of Wales, Bangor, and of Penrhyn Castle near Bangor. One of the photographs singled out in his obituary as proof of his dedication is now kept in the National Library of Wales:

> A picture of which Mr. Wickens was justly proud was that of the deer on snow-covered Vaynol Park. The photographing of these timid animals was a tedious procedure, and Mr. Wickens spent many days hidden in a haystack with the lens of his camera peeping out. The deer would not come near the

Deer in the grounds of the Vaynol Mansion in north Wales

Ceirw ar feysydd Plasty'r Faenol yng ngogledd Cymru

dynnu lluniau mewn stiwdio yn y Stryd Fawr, ond daethant yn enwog am greu delweddau cofiadwy a oedd yn cofnodi digwyddiadau pwysig, megis yr Eisteddfod Genedlaethol ac achlysuron cenedlaethol a Cheltaidd eraill.

Fel artist, cynhyrchai Wickens dirluniau a phortreadau mawr a'u fframio, gan dreulio cryn amser wrth y gwaith er mwyn cyrraedd safon uchel.[18] Wedi eu comisiynu gan unigolion ariannog neu gan gorfforaethau, câi'r lluniau eu gosod ar hyd coridorau yn arwain i lyfrgelloedd neu ystafelloedd biliards a hefyd mewn adeiladau cyhoeddus. Gwelir hyd heddiw rai o'r lluniau hyn ar furiau Coleg Prifysgol Cymru, Bangor, a Chastell Penrhyn gerllaw. Mewn ysgrif goffa iddo cyfeiriwyd at un ffotograff neilltuol o'i waith fel arwydd o'i ymroddiad, a chedwir hwnnw yn awr yn Llyfrgell Genedlaethol Cymru:

A picture of which Mr. Wickens was justly proud was that of the deer on snow-covered Vaynol Park. The photographing of these timid animals was a tedious procedure, and Mr. Wickens spent many days hidden in a haystack with the lens of his camera peeping out. The deer would not come near the haystack, and Mr. Wickens's patience was well nigh exhausted when they 'lined up' in perfect formation for a picture which is unique in many respects.[19]

Byddai Wickens hefyd yn tynnu lluniau cofebau cenedlaethol a safleoedd o bwys yng ngogledd Cymru, rhai ohonynt ar gyfer cyfnodolion a llyfrau Cymraeg neu Gymreig. Defnyddiai O. M. Edwards ei waith yn y cylchgronau *Cymru* a *Wales*, ac y mae'n arwyddocaol mai enw John Wickens a grybwyllodd gyntaf, o flaen yr enwog John Thomas, wrth ateb ymholiad gan un o'i ddarllenwyr ynghylch hawlfraint:

Meddyliwch am Mr Wickens yn tynnu darlun o'r haul ar gopa'r Wyddfa yn y gaeaf, neu Mr John Thomas yn mynd deng milltir i dynnu llun rhyw fangre hanesiol, neu Mr Hugh Owen yn cymeryd darlun o gymylau uwch afon Mawddach wedi gwylio wythnosau am ei gyfle, – y mae'n iawn fod y gyfraith yn rhoddi hawlfraint mewn pethau fel hyn, gan eu bod bron ar yr un tir a darluniau pwyntil.[20]

Y mae llawer o'r golygfeydd o Eryri ac o Afon Menai, a ddaeth â bri i John Wickens ymhell y tu hwnt i'w ardal fabwysiedig, i'w cael o hyd mewn casgliadau preifat yng ngogledd Cymru, ac y mae eraill ar wasgar mewn archifau ledled y wlad.[21] O ganlyniad, y mae'n anos cloriannu'r cyfan o'i waith ef na chloriannu gwaith John Thomas (1838–1905) neu eiddo Stiwdio D. C. Harries a gedwir yn eu cyfanrwydd – gan

[18] *North Wales Chronicle*, 26 Mehefin 1936. Ceir printiau wedi eu fframio yng nghasgliadau LlGC, Adran Darluniau a Mapiau, ac yn Amgueddfa Bangor. Cedwir casgliad mawr o blatiau gwydr a phrintiau yn 'The John Wickens Collection of Glass Negatives and Photographs', Gwasanaeth Archifau Gwynedd, Archifdy Sirol Caernarfon, XS/1077.

[19] *North Wales Chronicle*, 26 Mehefin 1936; LlGC, Adran Darluniau a Mapiau, ME12.

[20] O. M. Edwards, 'At Ohebwyr', *Cymru*, XIV, rhif 78 (1898), 52. Ymddangosodd gwaith Wickens hefyd mewn cyfeirlyfrau megis Frederic Griffith, *Notable Welsh Musicians* (London, 1896), t. 136.

[21] Gw., er enghraifft, gasgliadau preifat y diweddar Mrs Joan Morgan, Tregarth, a Mr Dafydd ap Tomos, Porthaethwy.

Statue to Tudur Aled, William Salesbury, Henry Rees, Gwilym Hiraethog and Iorwerth Glanaled in Llansannan

Cerflun i Dudur Aled, William Salesbury, Henry Rees, Gwilym Hiraethog a Iorwerth Glanaled yn Llansannan

Dinorwig Quarry

Chwarel Dinorwig

The Menai Straits   Afon Menai

haystack, and Mr. Wickens's patience was well nigh exhausted when they 'lined up' in perfect formation for a picture which is unique in many respects.[19]

Wickens also photographed national monuments and captured important sites in north Wales, some of them for Welsh periodicals and books. The famous author and publisher O. M. Edwards used his work in the magazines *Wales* and *Cymru* and it is significant that, in replying in 1898 to a reader's query regarding copyright, he should have mentioned John Wickens before the now better-known John Thomas:

> Think of Mr Wickens taking a picture of the sun on top of Snowdon in the winter, or Mr John Thomas walking ten miles to get a picture of some place of historic interest, or Mr Hugh Owen taking a picture of the clouds over the river Mawddach, having waited for weeks for his moment, – it is right that the law gives them the copyright in things like these, since they are nearly on the same level as painted pictures.[20]

Many of those views of Snowdonia and the Menai Straits, which brought John Wickens fame far beyond the area in which he lived, still hang in private collections in north Wales, while others may be found in archives scattered throughout the country.[21] His *oeuvre* is therefore more difficult to assess than that of John Thomas (1838–1905) and the D. C. Harries Studio, whose collections – complete with accounts and diaries in the case of the former – are in the National Library of Wales.[22]

In addition to the images mentioned above, there also survives a set of formally composed pictures taken at the Celtic Congress of Caernarfon in 1904. These photographs, situated within the walls of Caernarfon Castle and before Bangor Cathedral were, as Wickens himself noted, assembled in 'twenty copies only' of an album showing 'the prominent figures and the sumptuous gatherings of the 2nd Pan-Celtic Congress held in Caernarvon in 1904'.[23] Some forty-five prints survive in four albums discovered so far, all of them in Wales. Three albums belonged to, or were made for, leading figures within the Pan-Celtic Association: the Breton poet François Jaffrennou or 'Taldir', the Bangor novelist Annie Harriet Jones, better known as 'Gwyneth Vaughan', and the president of the Association, Baron Castletown of Upper Ossory in Ireland. In addition, nineteen glass negatives survive in the John Wickens collection

[19] *North Wales Chronicle*, 26 June 1936; NLW, Department of Pictures and Maps, ME12.

[20] O. M. Edwards, 'At Ohebwyr', *Cymru*, XIV, no. 78 (1898), 52. Wickens's images also appeared in reference works such as Frederic Griffith, *Notable Welsh Musicians* (London, 1896), p. 136.

[21] See, for instance, the private collections of the late Mrs Joan Morgan, Tregarth, and Mr Dafydd ap Tomos, Porthaethwy.

[22] Hilary Woollen and Alistair Crawford, *John Thomas 1838–1905: Photographer* (Llandysul, 1977); R. Iestyn Hughes, *D. C. Harries: A Collection of Photographs* (Aberystwyth, 1996).

[23] NLW, Department of Manuscripts and Records, François Jaffrennou (Taldir) Papers.

Cyfres Wickens, Rhif 57: Menai Woods (Coed Menai), Bangor

Wickens Series, No. 57: Menai Woods (Coed Menai), Bangor

gynnwys cyfrifon a dyddiaduron yn achos y cyntaf – yn Llyfrgell Genedlaethol Cymru.[22]

Yn ychwanegol at y delweddau a grybwyllwyd eisoes, y mae ar gael o hyd set o luniau ffurfiol a dynnwyd yn y Gyngres Geltaidd a gynhaliwyd yng Nghaernarfon ym 1904. Tynnwyd y lluniau o fewn muriau Castell Caernarfon ac o flaen y Gadeirlan ym Mangor. Fe'u casglwyd ynghyd, yng ngeiriau Wickens, mewn 'twenty copies only' o albymau lluniau yn dangos 'the prominent figures and the sumptuous gatherings of the 2nd Pan-Celtic Congress held in Caernarvon in 1904'.[23] Ceir pump a deugain o brintiau yn y pedwar albwm a ddaeth i'r golwg hyd yn hyn, y cyfan yng Nghymru. Yr oedd tri o'r rhain naill ai'n eiddo i rai o bobl flaenllaw'r Undeb Pan-Geltaidd neu wedi eu llunio yn arbennig ar eu cyfer: y bardd Llydewig François Jaffrennou neu 'Taldir', y nofelydd o Fangor Annie Harriet Jones, a adwaenid wrth ei ffugenw Gwyneth Vaughan, a llywydd yr Undeb Pan-Geltaidd, sef Barwn Castletown o Upper Ossory yn Iwerddon. At hynny, ceir pedwar ar bymtheg o negatifau gwydr yng nghasgliad John Wickens yn yr Archifdy Sirol yng Nghaernarfon.[24] Oherwydd y delweddau hyn, y mae gwaith Wickens yn bwysig y tu hwnt i

[22] Hilary Woollen ac Alistair Crawford, *John Thomas 1838–1905: Photographer* (Llandysul, 1977); R. Iestyn Hughes, *D. C. Harries: Casgliad o Ffotograffau* (Aberystwyth, 1996).

[23] LlGC, Adran Llawysgrifau a Chofysgrifau, Papurau François Jaffrennou (Taldir).

[24] Gwasanaeth Archifau Gwynedd, Archifdy Sirol Caernarfon, 'The John Wickens Collection of Glass Negatives and Photographs', XS/1077/4.

in the County Archive in Caernarfon.[24] As a result of these images, Wickens's work is of importance beyond Wales, especially for those interested in the history of romantic nationalism and national dress, as well as for historians of Celticism and the Celtic revival of the nineteenth and early twentieth centuries.

Pan-Celticism and the Pan-Celtic Association

Pan-Celtic co-operation had previously flourished under the patronage of Lady Llanofer, 'Gwenynen Gwent' (1802–96), Thomas Price, 'Carnhuanawc' (1787–1848) and the Abergavenny eisteddfodau in the 1840s, and again in the 1860s in connection with a certain Charles de Gaulle (1837–80), great-uncle of the more famous general and president of the same name in the twentieth century.[25] But in the 1890s exchanges between the Celtic countries intensified and co-operation took on more practical forms. In 1896 Celtic delegates were first mentioned *en masse* in connection with the National Eisteddfod at Llandudno, where many were admitted as honorary members of Gorsedd

The President of the Pan-Celtic Association, Lord Bernard Edward Barnabe Fitz-Patrick, Baron Castletown of Upper Ossory, Ireland

Llywydd yr Undeb Pan-Geltaidd, Arglwydd Bernard Edward Barnabe Fitz-Patrick, Barwn Castletown o Upper Ossory, Iwerddon

[24] Gwynedd Archives Service, Caernarfon County Archive, 'The John Wickens Collection of Glass Negatives and Photographs', XS/1077/4.

[25] Mair Elvet Thomas, *Afiaith yng Ngwent: Hanes Cymdeithas Cymreigyddion y Fenni 1833–1854* (Cardiff, 1978), pp. 127–37; Peter Berresford Ellis, *Celtic Dawn: Celtic Survival in a Modern* World (London, 1993), pp. 61–72; Marion Löffler, 'Agweddau ar yr Undeb Pan-Geltaidd, 1898–1914', *Y Traethodydd*, CLV, no. 652 (2000), 44–59.

ffiniau Cymru, yn enwedig i'r rhai sy'n ymddiddori yn hanes cenedlaetholdeb rhamantaidd a gwisgoedd cenedlaethol, a hefyd i haneswyr Celtiaeth a'r dadeni Celtaidd yn y bedwaredd ganrif ar bymtheg a dechrau'r ugeinfed ganrif.

Pan-Geltiaeth a'r Undeb Pan-Geltaidd

Yr oedd cydweithredu Pan-Geltaidd wedi ffynnu dan nawdd Arglwyddes Llanofer, 'Gwenynen Gwent' (1802–96), Thomas Price, 'Carnhuanawc' (1787–1848) ac eisteddfodau Y Fenni yn y 1840au, ac eto yn y 1860au mewn perthynas â gŵr o'r enw Charles de Gaulle (1837–80), hen ewythr i'r cadfridog a'r arlywydd o'r un enw yn yr ugeinfed ganrif.[25] Ond yn ystod y 1890au cynyddodd y cyfnewid syniadau a gwelwyd mwy o gydweithio ymarferol. Ym 1896 y cyfeiriwyd gyntaf at gynrychiolwyr Celtaidd *en masse*, sef mewn perthynas â'r Eisteddfod Genedlaethol yn Llandudno, lle y derbyniwyd llawer ohonynt yn aelodau anrhydeddus o Orsedd y Beirdd. Yn ôl William George, lansiwyd y prosiect o ffurfio Undeb Pan-Geltaidd gan gynrychiolwyr o Gymru, Iwerddon, Llydaw a'r Alban yn Eisteddfod Genedlaethol Blaenau Ffestiniog ym 1898.[26] Yr oedd hi'n adeg briodol gan fod y sefyllfa wleidyddol yng Nghymru, Iwerddon a'r Alban yn gymharol dawel ar ôl cyfnod o gynnwrf cenedlaethol. Chwiliai'r cenedlaetholwyr, felly, am ffurfiau newydd o fynegiant. Sefydlwyd cymdeithasau i hyrwyddo amcanion diwylliannol a chenedlgarol, ac aethant ati i drefnu gwyliau cenedlaethol er mwyn darparu uchafbwyntiau yng nghalendr eu gweithgarwch. Ym 1891 sefydlwyd *An Comunn Gaidhealach*, Cymdeithas yr Ucheldir, a dechreuodd cynrychiolwyr o Gymru ymweld â'r *Mód*, gŵyl a ddatblygwyd ar batrwm yr Eisteddfod Genedlaethol. Ym 1893 sefydlwyd yr Urdd Wyddeleg, *Conrad na Gaeilge*, a dechreuodd hithau gynnal gwyliau a elwid *Oireachtas* ym 1897. Ym 1898, mewn gŵyl o ddramâu Llydaweg ger Morlaix, sefydlwyd *Kevredigez Vroadel Vreiz*, sef Undeb Cenedlaethol Llydaw.[27] Sefydlwyd *Yn Cheshagh Ghailckagh*, Cymdeithas yr Iaith Fanaweg, ym

25 Mair Elvet Thomas, *Afiaith yng Ngwent: Hanes Cymdeithas Cymreigyddion y Fenni 1833–1854* (Caerdydd, 1978), tt. 127–37; Peter Berresford Ellis, *Celtic Dawn: Celtic Survival in a Modern World* (London, 1993), tt. 61–72; Marion Löffler, 'Agweddau ar yr Undeb Pan-Geltaidd, 1898–1914', *Y Traethodydd*, CLV, rhif 652 (2000), 44–59.

26 William George, 'Celtia's Congress', *Young Wales*, VII (1901), 232.

27 François Jaffrennou, 'Y Chwareufa Lydewig', *Cymru*, XVI, rhif 92 (1899), 171; Philippe le Stum, 'The Union Régionaliste Bretonne', *The Celtic History Review*, I, rhif 1 (1994/95), 21–2.

y Beirdd. At the National Eisteddfod in Blaenau Ffestiniog in 1898, according to William George, 'the project in its present form was . . . launched' by representatives from Brittany, Ireland, Scotland and Wales and preparations for the first Pan-Celtic Congress began.[26] The timing seemed right: Ireland, Scotland and Wales were experiencing a lull in political nationalism after a period of intense agitation. Nationalists were searching for new forms of expression. Societies pursuing cultural-nationalist aims were founded, which soon created annual festivals in order to provide highlights in their patriotic calendars. In 1891 *An Comunn Gaidhealach*, the Highland Association, was founded, and Welsh delegates began to visit their *Mód*, a festival developed along the lines of the National Eisteddfod. *Conrad na Gaeilge*, the Gaelic League of Ireland, established in 1893, began holding festivals called *Oireachtas* in 1897. In 1898 *Kevredigez Vroadel Freiz*, the Breton National Union, was founded at a festival of Breton drama near Morlaix.[27] *Yn Cheshagh Ghailckagh*, the Manx Language Society, emerged in 1899. Together they formed the Pan-Celtic Association, whose constitution named its main objectives as:

[26] William George, 'Celtia's Congress', *Young Wales*, VII (1901), 232.
[27] François Jaffrennou, 'Y Chwareufa Lydewig', *Cymru*, XVI, no. 92 (1899), 171; Philippe le Stum, 'The Union Régionaliste Bretonne', *The Celtic History Review*, I, no. 1 (1994/95), 21–2.
[28] *Celtia*, I, no. 5 (1901), 75.
[29] Ibid.

The cover of the magazine *Celtia*   Clawr y cylchgrawn *Celtia*

The furtherance of Celtic studies, and the fostering of mutual sympathy and co-operation between the various branches of the Celtic race in all matters affecting their language and national characteristics.[28]

The same constitution ruled that the Association should be non-political and non-sectarian.[29]

Ysgrifennydd Cyffredinol yr Undeb Pan-Geltaidd, Edmond Edward Fournier d'Albe, yn Eisteddfod Genedlaethol Bangor, 1902 (gan Syr Benjamin Stone)

The General Secretary of the Pan-Celtic Association, Edmond Edward Fournier d'Albe, at the Bangor National Eisteddfod of 1902 (by Sir Benjamin Stone)

1899. Gyda'i gilydd ffurfiai'r rhain yr Undeb Pan-Geltaidd, ac yn ôl ei gyfansoddiad ei brif amcanion oedd:

> The furtherance of Celtic studies, and the fostering of mutual sympathy and co-operation between the various branches of the Celtic race in all matters affecting their language and national characteristics.[28]

Mynnai'r cyfansoddiad hefyd y dylai'r Undeb fod yn anwleidyddol ac yn anenwadol.[29] Anogid yr aelodau i ganolbwyntio ar faterion yn ymwneud ag iaith, chwaraeon brodorol, cerddoriaeth a gwisgoedd cenedlaethol, ac i osgoi gwneud datganiadau amlwg wleidyddol na gweithredu felly ychwaith. Gellid cyrraedd y nod hwn trwy feithrin cysylltiadau personol a chydweithio mewn meysydd megis addysg yn yr ieithoedd llai-eu-defnydd, trwy gynnal cyngres bob tair blynedd (Dulyn ym 1901, Caernarfon ym 1904 a Chaeredin ym 1907), yn ogystal â thrwy gyfnewid newyddion ar dudalennau *Celtia*, cylchgrawn a gyhoeddid yn Nulyn rhwng 1900 a 1908 dan olygyddiaeth ysgrifennydd cyffredinol yr Undeb, Edmond Edward Fournier d'Albe. Ond ni lwyddai'r Undeb i dorri cwys union bob amser. Fel rhan o'r ymgais i 'adfer cenedligrwydd Celtaidd', tybiai rhai aelodau fod symbolau megis

[28] *Celtia*, I, rhif 5 (1901), 75.
[29] Ibid.

23

Members were urged to concentrate on matters of language, native sports, national music and costume, and to avoid overtly political expressions and actions. This could be achieved by maintaining personal contacts and co-operating in fields such as minority-language education, by holding triennial congresses (Dublin in 1901, Caernarfon in 1904, and Edinburgh in 1907), as well as by exchanging news through the pages of *Celtia*, a magazine published in Dublin between 1900 and 1908 and edited by the Association's general secretary, Edmond Edward Fournier d'Albe. But the Association did not always succeed in steering a straight course. As part of the 'restoration of Celtic nationality' advocated by some members, it attached great importance to symbols such as monuments, banners, costumes and its Celtic anthem, the 'Heather Song'.[30] The latter, composed by Alfred Perceval Graves, the Anglo-Irish scholar and founder member of the Welsh Folk Song Society, demonstrates the degree to which the Celtic renaissance in Ireland had interiorized the racial concepts of the nineteenth century and the myth of Celt and Saxon:

A blossom there blows – That scoffs at the snows,
And faces, root-fast – The rage of the blast,
Yet sweetens a sod – No slave ever trod,
Since the mountains up-reared – Their altars to God.
That flower of the free – Is the heather, the heather;
It springs where the sea – And the land leap together.

Six nations are we – Yet, beneath its bright feather,
To-day we are one – Wheresoever we be.
Our blossom is red – As the life-blood we've shed,
In Liberty's cause – Under alien laws;
When Lochiel and O'Neill – And Llewelyn drew steel,
For Alba's and Erin's – And Cambria's weal.
Then our couch when we tired – Was the heather the heather;
'Twas the beacon we fired – In blue and black weather.
Its mead-cup inspired,
When we pledged it together – To the Prince of our Choice
Or the maid most admired.

Let the Saxon and Dane – Bear rule o'er the plain;
On the hem of God's robe – Is our sceptre and globe!
For the Lord of all Light – Stood revealed on the height.
And to Heaven from the Mount – Rose up in men's sight.
And the blossom and bud – Of the heather, the heather,
Are like His dear blood – Dropped hither and thither,
From all evil to purge – And evermore urge
Each Son of the Celt – To the goal of all good.[31]

That this was too much even for the Pan-Celts to stomach is indicated by the fact that, at the close of the Celtic Congress at Caernarfon, the Welsh national anthem was sung in each of the Celtic languages and was subsequently adopted as the 'national anthem' of the movement.[32]

The third Congress of the Pan-Celtic Association, held in Edinburgh in 1907, proved

[30] *The Fiery Cross*, IV (1901), 5.

[31] Alfred P. Graves, *Cân y Grug: Cyfieithiad gan T. Gwynn Jones* (Wrecsam, 1927).

[32] *Gwalia*, 6 September 1904.

cofgolofnau, baneri, gwisgoedd cenedlaethol, a'r anthem Geltaidd, sef 'Heather Song' (Cân y Grug) yn dra phwysig.[30] Cyfansoddwyd 'Cân y Grug' gan yr ysgolhaig Eingl-Wyddelig Alfred Perceval Graves, un o sefydlwyr Cymdeithas Alawon Gwerin Cymru. Dangosir yn y gân fel yr oedd y dadeni Celtaidd yn Iwerddon wedi ymgorffori cysyniadau hiliol y bedwaredd ganrif ar bymtheg yn ogystal â'r myth am Gelt a Sacson. Dyma gyfieithiad T. Gwynn Jones ohoni:

I'r Grug bydded clod – Nad ofna mo'r ôd,
A chwardd rhag y gwynt – A'r storm ar ei hynt;
Pereiddia â'r sawr – Hen gartre gwŷr mawr,
Er pan gododd y bryniau – Allorau uwch llawr;
A'r blodyn ni phlyg – Ydyw'r Grug, ydyw'r Grug;
Fe dyf lle bo'r tonnau – Ar greigiau mor gryg;

Chwe nasiwn ŷm ni – A'i rwymyn sy rhôm,
Ni byddwn ond un – Lle bynnag y bôm.
Mor goch yw ei wawr – A gwaed ein gwŷr mawr
A gwympodd yng nghad – Dros ryddid eu gwlad,
Lochial ac O'Nêl – A Llywelyn, a'u sêl
Dros Alban, dros Erin – Dros Gymru heb gêl;
Yn y Grug yn y Grug – Fe gysgem yn flin,
A'i danio i alw – Ein meibion i'r drin;
A'n diod o'i frig – Oedd bêr gan bob un,
Pan yfem yn llawen – At bennaeth a bun.

I'r estron, os mynn – Boed hawl dros y glyn;
I ninnau boed byw – Ar ymyl gwisg Duw;
Man Duw, ar y bryn – Y datguddiwyd cyn hyn,

Oddiyno'r esgynnodd – I'r uchter mawr, gwyn;
A blodyn y Grug – Le bynnag y bo,
Sydd debyg i'r gwaed – A roddes efô
Gan wir drugarhau – Er prynu a glanhau
Holl feibion y Celtiaid – Rhag gofid a gau.[31]

Ni allai hyd yn oed y Pan-Geltiaid ddygymod yn hawdd â'r geiriau hyn ac ar derfyn y Gyngres Geltaidd yng Nghaernarfon penderfynwyd yn hytrach ganu anthem genedlaethol Cymru ym mhob un o'r ieithoedd Celtaidd. O hynny ymlaen mabwysiadwyd 'Hen Wlad fy Nhadau' fel anthem y mudiad.[32]

Yr oedd trydedd Gyngres yr Undeb Pan-Geltaidd, sef yr un a gynhaliwyd yng Nghaeredin ym 1907, yr olaf o'i bath.[33] Am amrywiol resymau, mynd i'r gwellt fu hanes pob ymgais i gyfarfod wedi hynny. O ganlyniad i anghydfod mewnol cafwyd dirywiad dros dro yn hanes *Kevredigez Vroadel Vreiz*, a chollodd Ynys Manaw un o'i harweinwyr cenedlaethol, sef y Llefarydd A. W. Moore. Yr un pryd, yr oedd cenedlaetholdeb rhamantaidd yn yr Alban a Chymru mewn argyfwng na lwyddwyd i'w ddatrys nes sefydlu pleidiau cenedlaethol gwleidyddol yn y 1920au cynnar, ac yr oedd Iwerddon wrthi'n paratoi at frwydr o fath

[30] *The Fiery Cross*, IV (1901), 5.

[31] Alfred P. Graves, *Cân y Grug: Cyfieithiad gan T. Gwynn Jones* (Wrecsam, 1927).

[32] *Gwalia*, 6 Medi 1904.

[33] Cymdeithas yng ngwlad Belg o'r enw *L'Union Celtique* a drefnodd y cynulliadau Pan-Geltaidd ym 1910 a 1913, ac felly nid ydynt yn berthnasol i'r astudiaeth hon.

to be the last meeting of its kind.[33] Plans to meet again foundered for various reasons. Following an internal split *Kevredigez Vroadel Freiz* had gone into temporary decline; the Isle of Man suffered the loss of Speaker A. W. Moore, one of its national leaders; Scottish and Welsh romantic nationalism encountered a crisis which would only be solved with the emergence of their respective national parties in the early twenties; and Ireland was preparing for a different kind of battle. The First World War was looming and the Celtic countries found themselves pulled in different directions. Irish nationalists, following the motto that my enemy's enemy is my friend, attempted to procure weapons from Germany and, in the event of a German victory, even contemplated having a German prince on an Irish throne.[34] Cornwall, the Isle of Man, Scotland and Wales joined the battle for the gallant little nations propagated so eloquently by the 'Welsh Wizard', Lloyd George, who became prime minister in 1916. By the time the Celtic Association was revived by Edward Thomas John, a Welsh Liberal MP, under the name of the Celtic Congress at the Birkenhead Eisteddfod of 1917, the world had changed.

gwahanol. A'r Rhyfel Mawr ar y gorwel, câi'r gwledydd Celtaidd eu tynnu i wahanol gyfeiriadau. Gan dybio bod 'gelyn fy ngelyn yn gyfaill i mi' ceisiodd cenedlaetholwyr Gwyddelig gael gafael ar arfau o'r Almaen, a phe digwyddai i'r Almaen fod yn fuddugol yr oeddynt hyd yn oed yn fodlon ystyried gosod Almaenwr yn dywysog ar orsedd Iwerddon.[34] Ymunodd Cernyw, Cymru, yr Alban ac Ynys Manaw yn y frwydr er mwyn diogelu buddiannau'r cenhedloedd bychain dewr. Dyna'r genadwri a ledaenwyd mor huawdl gan y 'Dewin Cymreig' Lloyd George a ddaethai'n brif-weinidog ym 1916. Erbyn i Edward Thomas John, AS Rhyddfrydol Cymreig, geisio adfywio'r mudiad Celtaidd dan enw'r Gyngres Geltaidd yn Eisteddfod Genedlaethol Penbedw ym 1917, yr oedd y byd wedi newid.

[33] The Pan-Celtic gatherings held in Brussels in 1910 and 1913 were organized by a Belgian organization, *L'Union Celtique*, and are therefore not included in this essay.

[34] Joachim Lerchenmüller, *Keltischer Sprengstoff* (München, 1997), chapter 2.

[34] Joachim Lerchenmüller, *Keltischer Sprengstoff* (München, 1997), pennod 2.

THE CELTIC ANTHEM.

At the Pan-Celtic Congress at Carnarvon "Hen Wlad fy Nhadau" was adopted as the anthem of the Celts in general, and an interesting philological comparison may be made of the following translations of "Land of my Fathers" into five Celtic languages other than that in which it was originally written. It should be recollected, however, that some of the translations are far from literal, that the several translators worked independently of one another, and that if the composer of the Highland Gaelic version, for instance, had written with the Irish version before him, the result would doubtless have been better described as a transliteration than as a translation. Even as it is, the mutual resemblances of the three versions in each of the two classes—Brythonic and Goidelic—are very remarkable, though the Irish is the closest counterpart of the original Welsh in point of meaning.

HEN WLAD FY NHADAU.

Mae hen wlad fy nhadau yn anwyl i mi,
Gwlad beirdd a chantorion enwogion o fri ;
Eu gwrol rhyfelwyr, gwladgarwyr tra mad,
Dros ryddid gollasant eu gwaed.
    Gwlad, gwlad ! Pleidiol wyf i'm gwlad.
    Tra mor yn fur i'r bur hoff bau,
    O bydded i'r hen iaith barhau.
            —*Ieuan ab Iago.*

BRO GOTH AGAN TASSOW.

Vro goth agan tassow, dha flehes a'th gar,
Wlas ger an houlsedhas, pa vro yu dha bar ?
Heb own berh an bresel, dha gaswyr mar vas,
Ragos di ga goys a skillas.
    Kernow ! Kernow ! Ny gar Kernow !
    Hedre vedh mor vel fos en e dro,
    Thon "Onen hag Ol" rag Kernow.
            —*Jenner.*

BRO GOZ MA ZADOU.

Ni, Breiziz a galon, karomp hon gwir vro !
Brudet eo an Arvor dre ar bed tro-dro ;
Dispont kreis ar brezel, hon tadou ken mad,
A skuilhaz eviti o gwad.
    O Breiz ! Ma bro, me gar ma bro ;
    Tra ma vo'r mor vel mur'n he zro,
    Ra vezo digabestr ma bro !
            —*Taldir.*

SEAN-TĪR MO ṠINSEAR.

'Si reaṅ-tīn mo ṡinrean ir ionṁuiṅ le m' ċnoiḋe,
Tīn báinṫ ar tīn ceoltōiṁ ir mō clú ar briġ ;
A laoċna 'r a tréiṅ-ḟin ḟion-ċalma le tlāir,
Ċuṁ Saoinreaċta ċuaiṫ riaṫ tre'n bāir.
    Sean-tīn ! Ir tuira ir m ōle mo ċnoiḋe. [ṫ'ċuaṫ.
    Ċoṁ rata 'r beiṫear moṅubán ṅa tuiṅṅe le
    Biṫeaḋ aġaṁṅ an Ġaeṫilġ ġo buaṅ.
            —*Fournier.*

DUTHAICH MO SHINNSIRE.

A dhùthaich mo shinnsir', a dhùthaich ma ghaoil
Sàr-mhuime nam bàrd thu, is mathair nan laoch,
Nan curaidhean treubhach a dh'eirich gad dhion,
'S a dhoirteadh am fuil anns an stri.
    Shean-tir mo ghaoil, 's tu mo dhachaidh gu fior,
    Cho fhad 's a bhios farum na tuinne ri d'thir,
    A Chuimri, a thasgaidh mo chrìdh.
            —*MacEachairn.*

HEER MY HENNAYRYN.

O Heer my hennayryn, O Heer my chree hene,
Voir ghraihagh dy vardyn ta greinna gheg shin,
As dunnallee dreayll dy ardghoo voish goll cooyl,
Son seyrsnys ren deayrtey nyn vuill.
    Vannin ! O ta my chree lhiat hene,
    Choud as yn cheayn noo, ny traighyn ayd niee,
    Bee'n chree aym dhyts firrinagh beayn.
            —*Kneen.*

THE CELTIC ASSOCIATION.

"Is there any reason why a people should not learn and thoroughly understand a neighbouring language without immediately smothering their own ? It is just as easy to speak two languages as to speak one. Nay, by knowing a second language, a man is at once in some degree educated, and is twice as much an intellectual being. Why, then, is it obstinate or unreasonable if we hesitate before we sacrifice a tongue endeared by a thousand reminiscences—most noble and eloquent in sound, ancient in structure, and with some qualities which peculiarly fit it for evoking the powers of the intellect ?"—DR. ROWLAND WILLIAMS.

The Celtic Congress of Caernarfon, 1904

One of the pinnacles of the Pan-Celtic Association's brief history was the flamboyantly romantic Celtic Congress held in Caernarfon in 1904. Under the leadership of T. Gwynn Jones and R. Gwyneddon Davies, the local secretaries of the Pan-Celtic Association, the town spent a year preparing for the influx of over 400 guests from all parts of Wales and the other Celtic countries. On the day before the festival the *North Wales Observer* reported that:

> Monday saw the completion of the preparations on the part of the committee and hard-working secretaries. The townspeople responded loyally to the Mayor's request for bunting, and a festive character was secured to the streets through a liberal display of flags and banners. The hint as to the heather bloom was taken generally also, and he was a stranger indeed who forbore from sporting a sprig of the pretty 'blodau'r grug' in his buttonhole. The heather was the first suggestion of something novel in the occasion, something different from any other public display ever seen in the town. The second indication came in the appearance in the streets of men in quaint costume, speaking a tongue strange but familiar. They were the Breton delegates.[35]

This article set the tone for other newspapers. Although all of them dutifully outlined the Congress programme – the modern language section, the music section, the folklore and costume section and the international section – and gave summaries of the learned papers, their gaze was principally fixed on the novel ceremonies performed in costumes rarely seen before. Surprisingly, most papers, from the *Irish Times* to the *Western Mail* and the *Isle of Man Times* to the *Westminster Gazette*, commented favourably on the Congress and saw the gathering as a step towards greater understanding among the European nations. The *Western Mail*, for instance, rejoiced that:

> Between Wales and Ireland there was not only a feeling of coldness, but of actual hostility . . . Possibly Welsh Protestantism was partly responsible for that feeling. Politics also helped to create it . . . As to the Isle of Man and Gaelic Scotland, Welshmen troubled themselves very little about them . . . Now, however, as Wales grows out of its religious prejudices and becomes more liberal, the sentiment of race and speech once more asserts itself. The same applies to the other Celtic kith and kin, and we see the result of it all in the movement which receives more or less support from the several branches.[36]

35 *North Wales Observer and Express*, 2 September 1904.
36 *Western Mail*, 31 August 1904.

Y Gyngres Geltaidd, Caernarfon, 1904

Un o'r uchelfannau yn hanes byr yr Undeb Pan-Geltaidd oedd y Gyngres Geltaidd hynod liwgar a rhamantaidd a gynhaliwyd yng Nghaernarfon ym 1904. Dan arweiniad T. Gwynn Jones ac R. Gwyneddon Davies, ysgrifenyddion lleol yr Undeb Pan-Geltaidd, bu'r dref wrthi am flwyddyn yn paratoi ar gyfer croesawu mwy na 400 o westeion o bob rhan o Gymru a'r gwledydd Celtaidd eraill. Y diwrnod cyn i'r ŵyl agor meddai'r *North Wales Observer*:

> Monday saw the completion of the preparations on the part of the committee and hard-working secretaries. The townspeople responded loyally to the Mayor's request for bunting, and a festive character was secured to the streets through a liberal display of flags and banners. The hint as to the heather bloom was taken generally also, and he was a stranger indeed who forbore from sporting a sprig of the pretty 'blodau'r grug' in his buttonhole. The heather was the first suggestion of something novel in the occasion, something different from any other public display ever seen in the town. The second indication came in the appearance in the streets of men in quaint costume, speaking a tongue strange but familiar. They were the Breton delegates.[35]

Dyna'r cywair a gafwyd mewn papurau newydd eraill hefyd. Er i bob un ohonynt amlinellu'n ddeddfol raglen weithgareddau'r Gyngres – yr adran ieithoedd modern, yr adran gerddoriaeth, yr adran lên gwerin a gwisgoedd, a'r adran ryngwladol – a rhoi crynodeb o gynnwys y papurau ysgolheigaidd a oedd i'w cyflwyno, y prif atyniad heb amheuaeth oedd y seremonïau dieithr a'r gwisgoedd nas gwelwyd prin erioed o'r blaen. Yn annisgwyl, cafwyd sylwadau ffafriol am y Gyngres yn y rhan fwyaf o'r papurau newydd, gan gynnwys yr *Irish Times,* y *Western Mail*, yr *Isle of Man Times* a'r *Westminster Gazette*, a thybid yn gyffredinol fod cynulliad o'r fath yn gam tuag at well dealltwriaeth rhwng cenhedloedd Ewrop. Ymfalchïai'r *Western Mail*, er enghraifft, fel a ganlyn:

> Between Wales and Ireland there was not only a feeling of coldness, but of actual hostility . . . Possibly Welsh Protestantism was partly responsible for that feeling. Politics also helped to create it . . . As to the Isle of Man and Gaelic Scotland, Welshmen troubled themselves very little about them . . . Now, however, as Wales grows out of its religious prejudices and becomes more liberal, the sentiment of race and speech once more asserts itself. The same

[35] *North Wales Observer and Express*, 2 Medi 1904.

The newspaper coverage reflects how unusual such colourful ceremonies, processions, receptions and evening concerts were among the people of north Wales and also helps to explain why the outward symbols of the movement remained etched on their minds. The overwhelming impression they left is best conveyed in an inscription found in the album assembled for Gwyneth Vaughan: *A Book of Mad Celts by John Wickens.*

The Congress opened on Tuesday, 30 August, with the ceremony of assembling the Logan stone, a monument comprising five granite cubes, each representing a Celtic nation.[37] Led by Irish pipers and Highland pipers, a colourful procession, including the 'presence in state of the Lord Mayor and Lady Mayoress of Dublin, and the mayors of Caernarfon, Bangor, Conway, and Llandovery', wended its way from the station to the castle where the opening ceremony of building the monument was conducted.[38] The *North Wales Observer* enthused again:

> It is doubtful if a not only more picturesque but also more stately and impressive cavalcade ever passed through the streets of Caernarvon before . . . a procession that was exceedingly attractive and yet

[37] By the end of the Congress, the Logan stone consisted of six granite cubes. Cornwall had been accepted as a Celtic nation, and a cube was added accordingly.

[38] *Irish Times*, 31 August 1904.

In the court of the castle with the 'Logan Stone', a monument symbolizing the unity of the Celtic nations

Yng nghwrt y castell gyda'r 'Maen Llog', cerflun sy'n symboleiddio undod y cenhedloedd Celtaidd

applies to the other Celtic kith and kin, and we see the result of it all in the movement which receives more or less support from the several branches.[36]

Dengys y sylw eang a gafwyd yn y wasg mor anghyffredin oedd y seremonïau lliwgar, a'r gorymdeithiau a'r cyngherddau mawr fin nos yng ngogledd Cymru. Hawdd deall, felly, sut y gwnaeth symbolau allanol y Gyngres y fath argraff ar bobl. Ni ellir cyfleu'n well yr argraff barhaol a adawyd na thrwy gyfeirio at eiriau'r cyflwyniad yn yr albwm a gasglwyd ar gyfer Gwyneth Vaughan: *A Book of Mad Celts by John Wickens.*

Agorodd y Gyngres ddydd Mawrth, 30 Awst, gyda seremoni cyfosod y Maen Llog, neu Faen y Cenhedloedd, sef pum ciwb ithfaen yn cynrychioli'r cenhedloedd Celtaidd.[37] Gyda phibyddion o Iwerddon ac o'r Alban yn cerdded ar y blaen, aeth yr orymdaith liwgar, a oedd yn cynnwys Maer a Maeres Dulyn, ynghyd â meiri Caernarfon, Bangor, Conwy a Llanymddyfri, o'r orsaf i'r castell lle y perfformiwyd y seremoni agoriadol o godi'r Maen Llog.[38] Dyma ragor o sylwadau ffafriol y *North Wales Observer*:

It is doubtful if a not only more picturesque but also more stately and impressive cavalcade ever passed

[36] *Western Mail*, 31 Awst 1904.
[37] Erbyn diwedd y Gyngres, yr oedd chwe chiwb yn y Maen Llog. Gan fod Cernyw wedi ei derbyn fel cenedl Geltaidd, ychwanegwyd ciwb arall.
[38] *Irish Times*, 31 Awst 1904.

presented no semblance of tinsel or make-believe – on the contrary, a well-sustained dignity and sincerity characterised it throughout, tending to impress upon the thousands who lined the pavements the reality of the Pan-Celtic ideas.[39]

Both the opening and closing ceremonies took place in the courtyard at the eastern end of Caernarfon Castle. After the leader of each delegation had set his nation's cube in place, the proceedings followed the model of the Welsh Gorsedd of the Bards, thereby underlining the power of Iolo Morganwg's invention.[40] This was partly due to the late Victorian *penchant* for the visualization of history, but it also owed much to the charisma of Hwfa Môn (1823–1905), who had been elected Archdruid in 1895 and who held office until his death in 1905. An immensely popular model, he was depicted by several painters and it was for him that the Bavarian artist Hubert Herkomer designed the archdruid's robe and regalia which have remained familiar to this day.[41] Hwfa Môn first wore this attire in 1896, the year the Celts assembled at Llandudno. In the same period the Welsh Gorsedd became the declared model for its sister institutions in Brittany (1901) and

Cornwall (1928). It was invited to Brittany, Ireland, Scotland and even America in order to lend a semblance of antiquity and dignity to newly-founded festivals. As every tribute in the memorial volume published a year after his death emphasized, Hwfa Môn seemed to personify everything that had been attributed to the Celtic Druids since the eighteenth century:

> In the Bardic Circle, he was like a King amidst the crowds, and everybody was prepared to let him rule in peace. One could have thought that he had been created for the purpose of being an Archdruid who was an adornment to this office and all its connections. The nations looked upon him with the greatest interest, and they believed that he was an incarnation of the secrets of the early bardic circle.[42]

However, there were dissenting voices from south Wales, where a still Welsh-speaking working class adhered to different traditions. *Y Celt Newydd*, a paper published in Llanelli, scorned the proceedings:

> Now, through the charm and the seal of approval of the Archdruid, the old Gorsedd has been re-established to its old primeval glamour, and the poets and rhymesters assemble around it; and so the thousand years are dawning on the poets of Brittany . . . Professor J. Morris Jones from Bangor ought to

[39] *North Wales Observer and Express*, 2 September 1904.
[40] Dillwyn Miles, *The Secret of the Bards of the Isle of Britain* (Llandybïe, 1992), pp. 131–40.
[41] Hubert Herkomer, *Art Culture in Wales* (London, 1898), pp. 7–11; Peter Lord, *Y Chwaer Dduwies, Celf, Crefft a'r Eisteddfod* (Llandysul, 1992), pp. 64–5; Stephanie Jones, *Charles William Mansel Lewis: Painter, Patron and Promoter of Art in Wales* (Aberystwyth, 1998), p. 47.
[42] W. J. Parry, *Cofiant Hwfa Môn* (Manceinion, 1907), p. 10.

through the streets of Caernarvon before . . . a procession that was exceedingly attractive and yet presented no semblance of tinsel or make-belief – on the contrary, a well-sustained dignity and sincerity characterised it throughout, tending to impress upon the thousands who lined the pavements the reality of the Pan-Celtic ideas.[39]

Yn y cwrt ym mhen dwyreiniol Castell Caernarfon y cynhaliwyd seremonïau agor a chloi'r Gyngres. Wedi i arweinydd pob dirprwyaeth osod ciwb ei genedl ei hun yn ei le, aeth y cyfarfod yn ei flaen, gan ddilyn patrwm Gorsedd y Beirdd. Gwelir yn hynny ddylanwad grymus syniadau Iolo Morganwg yn ogystal â'r bri a roddid ar ddiwedd oes Victoria ar gyflwyno hanes ar ffurf weledol. Bu cyfaredd Hwfa Môn (1823–1905) hefyd yn ddylanwad yn y dewis hwn; etholwyd ef yn Archdderwydd ym 1895 a daliodd y swydd honno hyd ei farw ym 1905.[40] Yr oedd Hwfa Môn yn fodel tu hwnt o boblogaidd, a pheintiwyd ei lun gan amryw o arlunwyr. Ar ei gyfer ef y cynlluniodd yr artist o Bafaria, Hubert Herkomer, y wisg a'r regalia archdderwyddol sy'n gyfarwydd i ni heddiw.[41] Gwisgodd Hwfa Môn y rhain am y tro cyntaf ym 1896, y flwyddyn yr ymgynullodd y Celtiaid yn Llandudno. Yn ystod yr un cyfnod y penderfynwyd mai Gorsedd y Beirdd yng

Nghymru a fyddai'r patrwm ar gyfer gorseddau Llydaw (1901) a Chernyw (1928). Gwahoddwyd dirprwyaeth o'r Orsedd i Iwerddon, Llydaw, yr Alban a hyd yn oed i America er mwyn rhoi arlliw o hynafiaeth ac urddas ar wyliau diwylliannol a oedd newydd eu sefydlu. Fel y pwysleisiwyd ym mhob teyrnged a gynhwyswyd yn y gyfrol goffa a gyhoeddwyd flwyddyn ar ôl ei farwolaeth, yr oedd Hwfa Môn yn ymgorfforiad o bopeth a briodolid i'r Derwyddon Celtaidd er y ddeunawfed ganrif:

Yr Archdderwydd Hwfa Môn
The Archdruid Hwfa Môn

Yng Ngorsedd y Beirdd, yr oedd fel brenin ym mhlith llu, a phawb yn fodlon iddo deyrnasu mewn heddwch. Gallesid meddwl yno iddo gael ei greu o bwrpas i fod yn Archdderwydd, a rhoddai addurn ar y swydd, ac ar ei holl gysylltiadau. Pwy mor olygus ar ben y maen? Yr oedd ei wyneb llydan fel codiad Haul ar y cylch. Edrychai y cenhedloedd arno gyda'r diddordeb mwyaf, a chredent ei fod yn gorfforiad o gyfrinion yr orsedd gynt.[42]

Serch hynny, yr oedd nifer o Gymry Cymraeg dosbarth-gweithiol de Cymru yn barnu'n

[39] North Wales Observer and Express, 2 Medi 1904.

[40] Dillwyn Miles, The Secret of the Bards of the Isle of Britain (Llandybïe, 1992), tt. 131–40.

[41] Hubert Herkomer, Art Culture in Wales (London, 1898), tt. 7–11; Peter Lord, Y Chwaer Dduwies, Celf, Crefft a'r Eisteddfod (Llandysul, 1992), tt. 64–5; Stephanie Jones, Charles William Mansel Lewis: Painter, Patron and Promoter of Art in Wales (Aberystwyth, 1998), t. 47.

[42] W. J. Parry, Cofiant Hwfa Môn (Manceinion, 1907), t. 10.

The opening ceremony of the Congress in the eastern court of Caernarfon Castle

Seremoni agoriadol y Gyngres yng nghwrt dwyreiniol Castell Caernarfon

34

Under the spell of Archdruid Hwfa Môn (Rowland Williams, 1823–1905)

Dan gyfaredd yr Archdderwydd Hwfa Môn (Rowland Williams, 1823–1905)

have a look at that and organize another campaign against *Gorsedd y Beirdd*, or the foolish tales of the Assembly of the Poets will spread over all the five continents. There is many an old tradition which was flourishing many years ago, but it would be wrong to revive these traditions with the help of an Archdruid or Archbishop. Dear Celts, march away from the child's play of the old Celts of yonder![43]

Neither the Pan-Celts nor the other newspapers heeded this light-hearted warning. On the contrary, T. Gwynn Jones, who had satirized the Gorsedd in 1902, was so impressed by Baron Castletown's presidential speech at the opening ceremony that he used it in the ode 'Gwlad y Bryniau', which won him the Chair at the National Eisteddfod in London in 1909.[44]

While Hwfa Môn and Baron Castletown preached Celtic unity and the symbols combined to reinforce their words, individual delegates did their best to demonstrate the visual manifestations of the national revival in their own countries. Influenced by the writings of influential nineteenth-century *savants* such as John Ruskin, it was argued that national costume was a morally edifying part of national identity and that therefore its revival or invention was imperative.[45] It is entirely understandable that the delegates were proud to pose as living examples of an essential part of a national tradition.

The first to reach Caernarfon were forty-eight Breton delegates, who immediately visited Caernarfon Police Court, where they were 'impressed by the matter-of-fact way in which the proceedings were conducted by bench, council, police and witnesses in the Welsh language'.[46] They naturally wore regional variations of what they regarded as their national costume. The Bretons were the only Celts who could boast a costume which continued an unbroken tradition and, in its regional variations, was still worn at Catholic Pardons Processions. Like many other European national costumes, it represented a stylized version of pre-industrial peasant dress. Marquis Régis de l'Estourbeillon de la Garnache (1858–1946), the leader of the delegation and of *Kevredigez Vroadel Freiz*, wore it and so did the photographer Émile Hamonic, the poet Theodore Botrel (1868–1925) and his wife Lena – all of whom were active in the separatist movement. Keener still was the Breton author, poet and editor François Jaffrennou ('Taldir'), who owned several costumes from different regions in Brittany. Dozens of portraits, group photographs

[43] *Y Celt Newydd*, 9 September 1904.
[44] David Jenkins, *Thomas Gwynn Jones: Cofiant* (Dinbych, 1973), pp. 147–8.
[45] E. Cook and Alexander Wedderburn (eds.), *The Works of John Ruskin, Volume VII* (London, 1907), p. 428; Manx Museum and Library MS 140, Sophia Morrison, 'The Manx National Dress', *Manx Language Society Annual Meeting* (1901), pp. 8–11.
[46] *Western Mail*, 31 August 1904.

wahanol. Gwawdlyd iawn oedd *Y Celt Newydd*, papur newydd a gyhoeddid yn Llanelli:

> Yn awr, trwy swyn a bendith yr Archdderwydd, y mae yr hen Orsedd i gael ei hadfer i'w gogoniant cyntefig, a'r beirdd lawryfol a chocosaidd i gasglu o'i hamgylch; ac felly mae y mil blynyddoedd ar wawrio ar feirdd Llydaw . . . Rhaid i'r Athro J. Morris Jones o Fangor, edrych ati, a threfnu ymgyrch arall yn erbyn Gorsedd y Beirdd, neu fe daenir chwedlau ynfyd yr Orsedd dros bum' cyfandir. Y mae llawer hen sefydliad oedd mewn bri mawr flynyddoedd yn ol, ond cam a'r byd fyddai codi y sefydliadau hyny trwy gymorth archdderwydd neu archesgob. Geltiaid anwyl, *march*-iwch oddi wrth degan plant yr hen Geltiaid gynt![43]

Ni chymerodd y Pan-Geltiaid na'r papurau newydd eraill unrhyw sylw o'r rhybudd cellweirus hwn. I'r gwrthwyneb, er i T. Gwynn Jones ddychanu'r Orsedd ym 1902, cafodd araith Llywydd yr Undeb, sef Barwn Castletown, y fath argraff arno nes peri iddo wneud defnydd ohoni yn ei awdl 'Gwlad y Bryniau', a enillodd iddo'r Gadair yn Eisteddfod Genedlaethol Llundain ym 1909.[44]

Tra oedd Hwfa Môn a Barwn Castletown yn pleidio undod y Celtiaid, ac yn gwneud yn fawr o'r holl symbolau, gwnâi'r cynrychiolwyr unigol eu gorau glas i arddangos arwyddion gweledol o'r

deffroad cenedlaethol yn eu priod wledydd. Gan ddilyn syniadau dysgedigion dylanwadol y bedwaredd ganrif ar bymtheg, megis John Ruskin, honnid bod gwisg genedlaethol o fudd moesol fel rhan o hunaniaeth cenedl ac, o'r herwydd, y dylid ei hadfer neu ei chreu o'r newydd.[45] Nid rhyfedd, felly, fod y cynrychiolwyr yn falch o osod esiampl i eraill trwy wisgo gwisgoedd traddodiadol eu gwledydd.

Y rhai cyntaf i gyrraedd Caernarfon oedd 48 o Lydawyr, a ymwelodd â llys ynadon y dref. Yr oeddynt yn 'impressed by the matter-of-fact way in which the proceedings were conducted by bench, council, police and witnesses in the Welsh language'.[46] Yn naturiol ddigon, gwisgent amrywiadau rhanbarthol eu gwisg genedlaethol. Y Llydawyr oedd yr unig Geltiaid a allai ymffrostio mewn gwisg a berthynai i draddodiad di-dor, a honno'n un a wisgid, yn ei ffurfiau rhanbarthol, hyd y dydd hwnnw yng ngorymdeithiau y Pardwn Pabyddol. Fel llawer o wisgoedd cenedlaethol Ewropeaidd eraill, yr oedd yn seiliedig ar ddillad gwerin-bobl y cyfnod cyn-ddiwydiannol. Ymhlith y rhai a wisgai'r wisg yr oedd Marquis Régis de l'Estourbeillon de la Garnache (1858–1946), sef arweinydd y ddirprwyaeth a *Kevredigez Vroadel*

[43] *Y Celt Newydd*, 9 Medi 1904.

[44] David Jenkins, *Thomas Gwynn Jones: Cofiant* (Dinbych, 1973), tt. 147–8.

[45] E. Cook ac Alexander Wedderburn (goln.), *The Works of John Ruskin, Volume VII* (London, 1907), t. 428; Amgueddfa a Llyfrgell Ynys Manaw Llsgr. 140; Sophia Morrison, 'The Manx National Dress', *Manx Language Society Annual Meeting* (1901), tt. 8–11.

[46] *Western Mail*, 31 Awst 1904.

The leader of the Breton delegation, Marquis Régis de l'Estourbeillon de la Garnache

Arweinydd y ddirprwyaeth Lydewig, Marquis Régis de l'Estourbeillon de la Garnache

The Breton nationalists Émile Hamonic, Théodore Botrel, Professor Paul Barbier and Lena Botrel

Y cenedlaetholwyr Llydewig Émile Hamonic, Théodore Botrel, yr Athro Paul Barbier a Lena Botrel

38

The Welsh artist John Kelt Edwards (on the right) and his friends François Jaffrennou 'Taldir', Marquis de l'Estourbeillon, Madame Ange Mosher and Francis Even 'Karevro'

Yr arlunydd Cymreig John Kelt Edwards (ar y dde) a'i gyfeillion o Lydaw François Jaffrennou 'Taldir', Marquis de l'Estourbeillon, Madame Ange Mosher a Francis Even 'Karevro'

The Breton nationalist and zealous Pan-Celt, François Jaffrennou 'Taldir'

Y cenedlaetholwr Llydewig a'r Pan-Gelt selog, François Jaffrennou 'Taldir'

and even postcards of him survive.[47] Tirelessly he travelled to visit those whom he called his Celtic cousins, and he was particularly well-known in Wales. Kelt Edwards and T. Gwynn Jones were among his friends in north Wales, while in the south he often visited the descendants of Lady Llanofer.[48] However, his efforts to popularize his native costume were not always crowned with success, at least not in Blaenau Ffestiniog, from where he sent the following report in 1899:

> I was dressed in Breton clothes, the ones you can see in the above picture, – coarse wide trousers, buskins of red cloth, a navy-blue waistcoat with yellow buttons and a white straw hat with a black satin ribbon. 'A Turk' said one. 'No,' said the other, 'Japanese!' – 'Look at his trousers! There is space for two small dogs in them!'[49]

As a result of this encounter, he went to 'buy clothes like everybody else . . . shirts and true Welsh clothes; that way I completely changed into a Welshman'.[50] The dress worn by the female Breton delegates is reminiscent of the national dress of the Sorbs, a Slavonic minority in the east of Germany. The use of layers of aprons is also to be found in the national dresses of nations in south-east Europe.[51] Madame Ange Mosher was

[47] Philippe le Stum, *Le néodruidisme en Bretagne: Origine, naissance, et développement, 1890–1914* (Rennes, 1998), pp. 152–3.

[48] *Gwerziou Gant Abherve ha Taldir (Brezoneg ha keumraeg kenver-ouz-kenver) Er Coffadwriaeth am Eu Taith yng Nghymru* (Saint-Brieuc, 1899); Ted Breeze Jones, *Goleuo'r Sêr: Golwg ar Kelt Edwards a'i Waith* (Llanrwst, 1994).

[49] F. Jaffrennou, 'Tro yng Ngogledd Cymru', *Cymru*, XVII, no. 100 (1899), 221–2.

[50] Ibid.

[51] Max Tilke, *Costume Patterns and Designs* (London, 1956).

'Américaine Bretonnante' neu 'American Impostor'? – Madame Ange Mosher
'Américaine Bretonnante' or 'American Impostor'? – Madame Ange Mosher

Vreiz, y ffotograffydd Émile Hamonic, y bardd Théodore Botrel (1868–1925) a'i wraig Lena – pob un ohonynt yn weithgar yn y mudiad cenedlaethol. Mwy selog fyth oedd yr awdur, y bardd a'r golygydd Llydewig François Jaffrennou ('Taldir'), a feddai ar amryw o wisgoedd o wahanol ranbarthau yn Llydaw. Y mae ei lun ef ar gael o hyd mewn dwsinau o bortreadau, ffotograffau grŵp a hyd yn oed ar gardiau post.[47] Teithiai'n ddiflino i ymweld â'i 'gefndryd Celtaidd', chwedl yntau, ac yr oedd yn ffigur adnabyddus iawn, yn enwedig yng Nghymru. Ymhlith ei gyfeillion yn y gogledd yr oedd Kelt Edwards a T. Gwynn Jones, ac yn y de ymwelai'n fynych â disgynyddion Arglwyddes Llanofer.[48] Ond ni fu ei ymdrechion i boblogeiddio ei wisg genedlaethol yn llwyddiannus bob tro. Dyma adroddiad a anfonodd o Flaenau Ffestiniog ym 1899:

> . . . yr oeddwn yn cael fy ngwisgo â dillad Llydewig, y rhai yr ydych yn eu gweled yn y darlun uchod, – llodrau bras llydan, botasau lliain coch, gwasgod glas nef gyda botymau melynion, a het wellt wen gyda ruban pali du. Edrychai pob un â syndod mawr ar y dillad anadnabyddus hyn. 'Twrc' ebai un. 'Nag e,' ebai'r llall, 'Japanese!' – 'Edrych ar ei drowsus! Mae lle i ddau gi bach ynddynt!'[49]

O ganlyniad i'r profiad hwn, penderfynodd 'brynu dillad fel pawb . . . grysau a dillad gwir Gymreig; felly daethum yn Gymro yn hollol'.[50] Y mae gwisg y cynrychiolwyr benywaidd o Lydaw yn dwyn i gof wisg genedlaethol y Sorbiaid, cenedl leiafrifol Slafonaidd yn nwyrain yr Almaen. Gwelir hefyd yr un arfer o ddefnyddio haenau o ffedogau yng ngwisgoedd cenedlaethol cenhedloedd de-ddwyrain Ewrop.[51] Ymhlith y cynrychiolwyr mwyaf diddorol yr oedd Madame Ange Mosher. Yn ferch i Gymraes ond yn enedigol o America, treuliodd y rhan fwyaf o'i hoes yn Llydaw, lle y bu'n hael ei nawdd i'r mudiad drama a'r mudiad cenedlaethol. Er i'r Athro Ernest Rhŷs fwynhau'n fawr ei datganiad o hwiangerdd Lydaweg yn ystod y Gyngres, nid felly'r nofelydd Gwyneth Vaughan.[52] Yn ei halbwm lluniau disgrifiwyd Madame Mosher ganddi fel 'an American impostor', sy'n awgrymu y gallai fod drwgdeimlad yn bodoli rhwng 'gwir' Geltiaid a Cheltiaid mabwysiedig.

Un tebyg oedd prif gynrychiolydd yr Alban, Theodore Napier. Yn enedigol o Awstralia, mynychodd ysgol uwchradd ac yna'r brifysgol yng Nghaeredin cyn dod yn ysgrifennydd y

[47] Philippe le Stum, *Le néodruidisme en Bretagne: Origine, naissance, et développement, 1890–1914* (Rennes, 1998), tt. 152–3.

[48] *Gwerziou Gant Abherve ha Taldir (Brezoneg ha keumraeg kenver-ouz-kenver) Er Coffadwriaeth am Eu Taith yng Nghymru* (Saint-Brieuc, 1899); Ted Breeze Jones, *Goleuo'r Sêr: Golwg ar Kelt Edwards a'i waith* (Llanrwst, 1994).

[49] François Jaffrennou, 'Tro yng Ngogledd Cymru', *Cymru*, XVII, rhif 100 (1899), 221–2.

[50] Ibid.

[51] Max Tilke, *Costume Patterns and Designs* (London, 1956).

[52] Ernest Rhŷs, 'The Pan-Celtic Congress', *The Celtic Review*, I (1901), 191.

52 Ernest Rhŷs, 'The Pan-Celtic Congress', *The Celtic Review*, I (1901), 191.

53 H. J. Hanham, *Scottish Nationalism* (London, 1969), pp. 84, 121.

54 Hugh Trevor-Roper, 'The Invention of Tradition: The Highland Tradition of Scotland' in Eric Hobsbawm and Terence Ranger (eds.), *The Invention of Tradition* (Cambridge, 1984), pp. 15–41.

The cover of the patriotic magazine *The Fiery Cross*

Clawr y cylchgrawn cenedlgarol *The Fiery Cross*

an especially interesting delegate. She was born in America, to a Welsh mother, but spent most of her life in her adopted Celtic country Brittany, where she generously sponsored Breton drama and the separatist movement. Although Professor Ernest Rhŷs was moved by her rendition of a Breton 'grandmother's lullaby' during the Congress, the Welsh novelist Gwyneth Vaughan was less impressed.[52] In her photo-album the portrait was given the title 'An American impostor', which hints at the tensions which might have existed between 'true' and 'adopted' Celts.

Scotland's main representative Theodore Napier was a similar case. He had been born in Australia, but attended high school and university at Edinburgh before becoming secretary of the 'Legitimist Jacobite League of Great Britain and Ireland'. Between 1901 and 1912 he published the nationalist Jacobite journal, *The Fiery Cross*, and was extremely active in the Scottish national movement. The Scottish historian H. J. Hanham remarked of him: 'Though embarrassing for his nationalist allies, he was a remarkable man . . . [he] gradually became a popular figure in Edinburgh, and when he left the country in 1912 there was a good deal of regret.'[53] For the benefit of the Celtic Congress he became Clanchief Napier, posing in the costume of a Highland chieftain of the Montrose period. This was a case of both invented identity and costume for, as Hugh Trevor-Roper has shown, the kilt had been devised by an English Quaker ironmaster at Glengarry near Inverness in the 1740s and had been popularized by Sir Walter Scott in connection with the state visit of George IV to Edinburgh in 1822.[54] The seventy-year-old Napier cut a splendid figure in his kilt and drew the attention of crowds wherever he went. Equally impressive were the Highland pipers in their kilts. In the case of the female members of the thirty or so Scottish delegation, such as Ella Carmichael, editor of the *Celtic Review* and daughter of the famous folklorist Alexander Carmichael, fashionable Celtic adornments such as Celtic embroidery, brooch and shawl sufficed. No Celtic dress had been revived for them, and it would not be revived and displayed on a large scale until the Scottish National Pageant of Allegory, Myth and History

Arweinydd dirprwyaeth yr Alban, Theodore Napier, fel pennaeth llwyth yr Ucheldiroedd o gyfnod Montrose

The leader of the Scottish delegation, Theodore Napier, as Highland clanchief from the Montrose period

Legitimist Jacobite League of Great Britain and Ireland. Rhwng 1901 a 1912 cyhoeddai *The Fiery Cross*, cylchgrawn cenedlgarol Jacobitaidd, a bu'n hynod weithgar ym mudiad cenedlaethol yr Alban. Meddai'r hanesydd Albanaidd H. J. Hanham amdano: 'Though embarrassing for his nationalist allies, he was a remarkable man . . . (he) gradually became a popular figure in Edinburgh, and when he left the country in 1912 there was a good deal of regret.'[53] Ymddangosodd yn y Gyngres Geltaidd fel Clanchief Napier, wedi ei wisgo fel pennaeth un o lwythau'r Ucheldir o gyfnod Montrose. Dyma achos o ffugio hunaniaeth yn ogystal â gwisg. Fel y dangosodd Hugh Trevor-Roper, yn y 1740au y dyfeisiwyd y cilt a hynny yn Glengarry ger Inverness gan Sais a oedd yn Grynwr ac yn haearnfeistr. Fe'i poblogeiddiwyd wedi hynny gan Syr Walter Scott adeg ymweliad swyddogol Siôr IV â Chaeredin ym 1822.[54] Yn ddeg a thrigain mlwydd oed, edrychai Napier

[53] H. J. Hanham, *Scottish Nationalism* (London, 1969), tt. 84, 121.

[54] Hugh Trevor-Roper, 'The Invention of Tradition: The Highland Tradition of Scotland' yn Eric Hobsbawm a Terence Ranger (goln.), *The Invention of Tradition* (Cambridge, 1984), tt. 15–41.

in 1908.[55] What was lacking was the combination of social factors which had existed in Ireland since the 1860s and which made possible the development and acceptance of Celtic dress for both sexes.

After the Welsh, the Irish delegation of over ninety people was the strongest at the Congress. Most of the names associated with the Celtic renaissance in Ireland, from Lady Gregory and William Butler Yeats to Standish James O'Grady and Douglas Hyde, were present. Since many of them were Anglo-Irish, supporting the Irish language movement and resuscitating or inventing Irish traditions were means of asserting their own identity. John E. Geoghegan, for instance, scion of a well-known revivalist family, a cousin of the portrait painter Sarah Purser, and a patron of the arts in Ireland, posed proudly in a typical costume of eleventh-century cut, embroidered with late Bronze Age Celtic zigzag patterns, very similar to those shown in J. Romilly Allen's classic book, *Celtic Art in Pagan and Christian Times*, published in Dublin in 1904.[56] Another example of this style are Baron Castletown's Irish pipers, who led the processions, and whom Taldir described as

The Scottish Highland bagpipers

Pibyddion Ucheldir yr Alban

[55] Elizabeth Cumming, 'The Arts and Crafts Movement in Edinburgh' in Nicola Gordon Bowe and Elizabeth Cumming (eds.), *The Arts and Crafts Movements in Dublin and Edinburgh* (Dublin, 1998), pp. 35–6.

[56] J. Romilly Allen, *Celtic Art in Pagan and Christian Times* (Dublin, 1904; reprint 1993), p. 27.

Ella Carmichael o Gaeredin, golygydd y cylchgrawn *Celtic Review*

Ella Carmichael from Edinburgh, editor of the magazine *Celtic Review*

yn urddasol yn ei gilt a llwyddai i ddenu sylw'r dorf lle bynnag yr âi. Yr oedd pibyddion yr Ucheldir yr un mor drawiadol yr olwg yn eu ciltiau. Gwisgai'r merched o blith y ddirprwyaeth o oddeutu deg ar hugain a gynrychiolai'r Alban addurniadau Celtaidd megis brodwaith a broetsh ar ben eu dillad arferol. Un o'r rhain oedd Ella Carmichael, golygydd y *Celtic Review* a merch yr ysgolhaig llên gwerin adnabyddus, Alexander Carmichael. Bu'n rhaid aros tan 1908, sef y flwyddyn y cynhaliwyd Pasiant Cenedlaethol Chwedlau a Hanes yr Alban,[55] cyn gweld gwisg Geltaidd ar gyfer merched yn cael ei hadfer a'i phoblogeiddio ar raddfa sylweddol. Ni cheid ar y pryd y cyfuniad o ffactorau cymdeithasol a fuasai yn Iwerddon er y 1860au ac a hwylusodd y ffordd i ddatblygu gwisg Geltaidd a'i gwneud yn dderbyniol ar gyfer y ddwy ryw.

Ac eithrio'r Cymry, y ddirprwyaeth o fwy na deg a phedwar ugain o Wyddelod oedd y gryfaf yn y Gyngres. Gwelid yn eu plith y rhan fwyaf o'r enwau a gysylltir â'r dadeni Celtaidd yn Iwerddon, gan gynnwys Arglwyddes Gregory, William Butler Yeats, Standish James O'Grady a Douglas Hyde. Gan mai Eingl-Wyddelod oedd llawer ohonynt, yr

[55] Elizabeth Cumming, 'The Arts and Crafts Movement in Edinburgh' yn Nicola Gordon Bowe ac Elizabeth Cumming (goln.), *The Arts and Crafts Movements in Dublin and Edinburgh* (Dublin, 1998), tt. 35–6.

The Irish nationalist and sponsor of the arts, John E. Geoghegan

Y cenedlaetholwr Gwyddelig a noddwr y celfyddydau, John E. Geoghegan

Baron Castletown of Upper Ossory's Irish bagpipers

Pibyddion Gwyddelig Barwn Castletown o Upper Ossory

46

The Irish composer, Alicia Needham, in her Celtic gown

Y gyfansoddwraig o Iwerddon, Alicia Needham, yn ei gwisg Geltaidd

The Irish composer, Alicia Needham, in modern clothes

Y gyfansoddwraig o Iwerddon, Alicia Needham, mewn gwisg fodern

wearing 'l'ancien Costume irlandais, que portaient dans la cité de Tara les chevaliers du Roi Lear (Leoghaire.) au moment où Saint-Patrick vint y prêcher le Christianisme' – 'the ancient Irish costume worn by the knights of king Lear (Leoghaire.) at Tara castle when Saint Patrick came to preach Christianity to them'.[57] Among the women portrayed in revived Celtic dress was Alicia Needham, composer of Irish music. The Irish singer Agnes Treacy and harpist Esther Corless wore beautiful robes also based on supposedly eleventh-century models, embroidered with bands of spirals and C-shaped curves found in Allen's writings.

The Irish costumes for men and women demonstrate a productive fusion which had occurred in Ireland, but not yet in Scotland or Wales. The Celtic theme for a national art revival had been set by Henry O'Neill's beautiful book, *The Fine Arts and Civilisation of Ancient Ireland*, in 1863. In the foreword he asserted:

[57] NLW, Department of Manuscripts and Records, François Jaffrennou (Taldir) Papers, Photo Album.

48

The singer Agnes Treacy and the harpist Esther Corless in their tasteful dresses

Y gantores Agnes Treacy a'r delynores Esther Corless yn eu gwisgoedd celfydd

oedd cefnogi mudiad yr iaith Wyddeleg ac adfywio neu greu traddodiadau Gwyddelig yn gyfrwng iddynt arddel eu hunaniaeth. Dyna'r portread o John E. Geoghegan, er enghraifft, aelod o deulu amlwg yn yr adfywiad, cefnder i'r arlunydd portreadau Sarah Purser, a noddwr y celfyddydau yn Iwerddon. Ceir portread ohono mewn gwisg nodweddiadol yn null yr unfed ganrif ar ddeg ac arni frodwaith ar batrwm Celtaidd igam-ogam o ddiwedd yr Oes Efydd tebyg iawn i'r rhai a welir yng nghlasur J. Romilly Allen, *Celtic Art in Pagan and Christian Times*, a gyhoeddwyd yn Nulyn ym 1904.[56] Enghraifft arall o'r un dull oedd gwisg pibyddion Gwyddelig Barwn Castletown a gerddai ar flaen pob gorymdaith yn gwisgo, yng ngeiriau Taldir: 'l'ancien Costume irlandais, que portaient dans la cité de Tara les chevaliers du Roi Lear (Leoghaire.) au moment où Saint-Patrick vint y prêcher le Christianisme' – 'yr hen wisg Wyddelig a wisgai marchogion y brenin Llŷr (Leoghaire.) yng nghaer Tara yn y cyfnod pan ddaeth Padrig Sant i bregethu neges Crist'.[57] Ymhlith y menywod a bortreadwyd mewn gwisg Geltaidd ar ei newydd wedd yr oedd Alicia Needham, cyfansoddwraig cerddoriaeth Wyddelig. Gwisgai'r gantores Agnes Treacy a'r delynores

Esther Corless ffrogiau hardd a oedd yn seiliedig, yn ôl y sôn, ar arddull yr unfed ganrif ar ddeg, a cheid arnynt fandiau o frodwaith ar batrymau troellog a chromlinol, yn union fel y rhai a welir yng ngwaith J. Romilly Allen.

Gwelid yn y gwisgoedd Gwyddelig ar gyfer dynion a menywod y cyfuniad ffrwythlon hwnnw a oedd wedi digwydd ymhlith gwahanol garfanau yn Iwerddon – rhywbeth nad oedd wedi digwydd yn yr Alban nac yng Nghymru. Yr oedd cyfrol odidog Henry O'Neill, *The Fine Arts and Civilisation of Ancient Ireland*, wedi paratoi'r ffordd ar gyfer adfywiad celfyddydol ar themâu Celtaidd. Yn ei ragymadrodd pwyleisiai:

Un o atgynyrchiadau Henry O'Neill, broetsh enwog Tara (cefn)

One of Henry O'Neill's samples, the famous Tara brooch (back)

Irish Art has not received much attention till a comparatively recent period, yet this remarkable style was carried to an almost miraculous degree of excellence, and the best works in that style which still remain are, for inventive power, sound

[56] J. Romilly Allen, *Celtic Art in Pagan and Christian Times* (Dublin, 1904; adargraffiad 1993), t. 27.

[57] LlGC, Adran Llawysgrifau a Chofysgrifau, Papurau François Jaffrennou (Taldir), Albwm Lluniau.

Irish Art has not received much attention till a comparatively recent period, yet this remarkable style was carried to an almost miraculous degree of excellence, and the best works in that style which still remain are, for inventive power, sound principles, and masterly execution, the very finest examples of ornament that were ever executed . . . The examples, we trust, will interest the mind by their novelty, and improve the taste by their excellence; they will gratify the national heart, because they are national and glorious.[58]

The items he chose to illustrate his claim to a national tradition, such as the famous Tara brooch and the cross at Drumcliff, were soon reproduced by the thousands and their patterns reworked in other materials. They were a welcome source of inspiration for the Irish domestic industries, which had been developed since the 1880s to assist poor women in the western areas especially in embroidery and lace-making, and for the numerous Irish art societies and schools of art.[59] The Arts and Crafts movement, imported from England around the turn of the century, also came under this influence. Today, the literary renaissance is best remembered, but the Irish costumes depicted by John Wickens are a reminder that there was more

than one dimension to the cultural revival in Ireland at the beginning of the twentieth century. William Butler Yeats's sisters, Susan and Elizabeth Yeats, for instance, employed Irish women to produce Irish arts and crafts work at their *Dun Emer* workshops and regularly held modest pageants to demonstrate their produce. They might even have designed and embroidered some of the costumes depicted in the photographs.[60] Although 'Celtic dress' was common in nationalist and literary circles in Dublin at that time, their wearers might encounter problems reminiscent of Taldir's mishap in Blaenau Ffestiniog. Mary Colum, a member of the revival, recalled that 'this getup was all right for the Abbey Theatre or Gaelic League dances, but once when myself and a friend . . . in a similar getup and a more striking colour scheme, walked together down a street where the fisherwomen were selling their fish, we were openly derided'.[61]

In Wales the task of creating a tradition of national design and symbol had only just begun, although one of the most influential books in the field, *The Grammar of Ornament*, which had included Celtic patterns as early as 1856, was

[58] Henry O'Neill, *The Fine Arts and Civilisation of Ancient Ireland* (London, 1863), pp. v–vi.

[59] Cyril Barrett and Jeanne Sheehy, 'Visual Arts and Society, 1850–1900' in W. E. Vaughan (ed.), *A New History of Ireland, VI: Ireland under the Union II, 1870–1921* (Oxford, 1996), pp. 436–74; idem, 'Visual Arts and Society, 1900–20', ibid., pp. 455–99.

[60] Joan Hardwick, *The Yeats Sisters: A Biography of Susan and Elizabeth Yeats* (London, 1996).

[61] Bowe and Cumming (eds.), *The Arts and Crafts Movements in Dublin and Edinburgh*, p. 122.

principles, and masterly execution, the very finest examples of ornament that were ever executed . . . The examples, we trust, will interest the mind by their novelty, and improve the taste by their excellence; they will gratify the national heart, because they are national and glorious.[58]

Buan yr atgynhyrchwyd wrth y miloedd eitemau megis broetsh enwog Tara a chroes Drumcliff, a ddewiswyd gan O'Neill er mwyn profi ei gred fod traddodiad cenedlaethol yn bodoli, ac efelychwyd eu patrymau mewn amryfal ddeunyddiau eraill. Buont yn ysbrydoliaeth i'r diwydiannau cartref Gwyddelig a ddatblygwyd er y 1880au i gynorthwyo gwragedd tlawd yn ardaloedd y gorllewin, yn enwedig i gynhyrchu brodwaith a les, a hefyd i lu o gymdeithasau ac ysgolion celf a chrefft.[59] Ar droad y ganrif hefyd, daeth y mudiad Celf a Chrefft a fewnforiwyd o Loegr dan ddylanwad y symbolau Celtaidd. Erbyn heddiw y dadeni llenyddol a gofir yn bennaf, ond y mae'r gwisgoedd Gwyddelig a ffotograffwyd gan John Wickens yn ein hatgoffa bod mwy nag un dimensiwn yn perthyn i'r diwygiad diwylliannol yn Iwerddon ar ddechrau'r ugeinfed ganrif. Er enghraifft, arferai Susan ac Elizabeth Yeats, chwiorydd William Butler Yeats, gyflogi Gwyddelesau i gynhyrchu gwaith celf a chrefft yn eu gweithdai *Dun Emer*, gan drefnu pasiantau bychain i arddangos y cynnyrch gorffenedig. Y mae'n bosibl eu bod hyd yn oed wedi dylunio a brodio rhai o'r gwisgoedd a welir yn y ffotograffau.[60] Er bod 'gwisg Geltaidd' yn gyffredin mewn cylchoedd cenedlgarol a llenyddol yn Nulyn y pryd hwnnw, gallai'r sawl a'i gwisgai wynebu problemau tebyg i anffawd Taldir ym Mlaenau Ffestiniog. Dyma atgofion Mary Colum, un o bleidwyr y deffroad: 'this getup was all right for the Abbey Theatre or Gaelic League dances, but once when myself and a friend . . . in a similar getup and a more striking colour scheme, walked together down a street where the fisherwomen were selling their fish, we were openly derided'.[61]

Yng Nghymru, megis dechrau oedd y dasg o greu traddodiad o batrymau a symbolau cenedlaethol, er bod un o'r llyfrau pwysicaf yn y maes, *The Grammar of Ornament*, a oedd yn cynnwys patrymau Celtaidd yn dyddio o 1856, wedi ei ysgrifennu gan y Cymro Owen Jones.[62] Canolbwyntiai'r rhan fwyaf o'r gweithgarwch ar yr Eisteddfod Genedlaethol, ac yn enwedig ar

[58] Henry O'Neill, *The Fine Arts and Civilisation of Ancient Ireland* (London, 1863), tt. v–vi.

[59] Cyril Barrett a Jeanne Sheehy, 'Visual Arts and Society, 1850–1900' yn W. E. Vaughan (gol.), *A New History of Ireland, VI: Ireland under the Union II, 1870–1921* (Oxford, 1996), tt. 436–74; idem, 'Visual Arts and Society, 1900–20', ibid., tt. 455–99.

[60] Ioan Hardwick, *The Yeats Sisters: A Biography of Susan and Elizabeth Yeats* (London, 1996).

[61] Bowe a Cumming (goln.), *The Arts and Crafts Movements in Dublin and Edinburgh*, t. 122.

[62] Ivor Davies, 'Datblygiad Hanes Celf' yn Ivor Davies a Ceridwen Lloyd-Morgan (goln.), *Darganfod Celf Cymru* (Caerdydd, 1999), tt. 15–16.

written by the Welshman Owen Jones.[62] Most of the efforts in this field concentrated on the National Eisteddfod and the Gorsedd, especially their robes and regalia. Members of the Gorsedd, such as Gwyneth Vaughan and Alfred Perceval Graves, chose to be photographed in their robes, while others, like T. Gwynn Jones, preferred civilian clothes. The Welsh national dress, which had been derived from regional Welsh peasant costume by Lady Llanofer in the 1840s, was unpopular among the upper and middle classes who provided the bulk of the Association's members. Because of its association with Lady Llanofer's court, where all the servants and court musicians were obliged to wear it, the national costume soon became associated with performers of traditional music. At the Congress, it was worn by artists patronized by Lady Augusta Herbert, or 'Gwenynen Gwent yr Ail', who had followed in her mother's footsteps and maintained the Welsh tradition at Llanofer. She dispatched

[62] Ivor Davies, 'Datblygiad Hanes Celf' in Ivor Davies and Ceridwen Lloyd-Morgan (eds.), *Darganfod Celf Cymru* (Caerdydd, 1999), pp. 15–16.

52

The Welsh author, Gwyneth Vaughan (Annie Harriet Hughes, 1852–1910)

Yr awdures Gymraeg, Gwyneth Vaughan (Annie Harriet Hughes, 1852–1910)

Y Cymro mabwysiedig, Alfred Perceval Graves (1836–1931)

A Welshman by choice, Alfred Perceval Graves (1836–1931)

wisgoedd a regalia yr Orsedd. Dewisodd rhai o aelodau'r Orsedd, megis Gwyneth Vaughan ac Alfred Perceval Graves, gael eu lluniau wedi eu tynnu yn eu gwisg Orseddol, ond yr oedd yn well gan rai fel T. Gwynn Jones ymddangos yn eu dillad arferol. Nid oedd y wisg genedlaethol a ddatblygwyd ar sail patrymau rhan-barthol gwisg y werin gan Arglwyddes Llanofer yn y 1840au yn dderbyniol ymhlith y dosbarth canol ac uwch, sef mwyafrif aelodau'r Undeb Pan-Geltaidd. Gan fod yr holl wasanaethyddion a cherddorion yng nghartref Arglwyddes Llanofer yn gorfod ei gwisgo, daeth y wisg genedlaethol yn gysylltiedig â pherfformwyr cerddoriaeth draddodiadol. Yn y Gyngres fe'i gwisgid gan artistiaid a noddid gan y Fonesig Augusta Herbert, 'Gwenynen Gwent yr Ail', a ddilynodd esiampl ei mam trwy gynnal a noddi traddodiadau Cymraeg a Chymreig yn Llanofer. Sicrhaodd y Fonesig Herbert mai gwisg Gymreig draddodiadol a wisgid yn yr achlysur gan y canwr penillion Pedr James, a'r telynorion

Pedr James, harpist at Llanofer Court

Pedr James, telynor Llys Llanofer

The harpist David Roberts, 'The Blind Harpist of Mawddwy'

David Roberts, 'Telynor Dall Mawddwy'

The harpist Maggie Jones, 'Harpist of Arfon', and the *penillion* singer, William Williams, 'Ap Eos Môn'

Maggie Jones, 'Telynores Arfon', a'r canwr penillion, William Williams, 'Ap Eos Môn'

The Welsh nationalist, Frederick George Robertson Williams, Aberclydach, Breconshire

Y cenedlaetholwr Cymreig, Frederick George Robertson Williams, Aberclydach, sir Frycheiniog

Maggie Jones 'Harpist of Arfon', Mrs Gruffydd Richards 'Chief Harpist of Gwent', David Roberts 'The Blind Harpist of Mawddwy', Gwyneth Vaughan, Pedr James, Émile Hamonic, Lena and Théodore Botrel, and Professor Paul Barbier

Maggie Jones 'Telynores Arfon', Mrs Gruffydd Richards 'Pencerddes Mynwy', David Roberts 'Telynor Dall Mawddwy', Gwyneth Vaughan, Pedr James, Émile Hamonic, Lena a Théodore Botrel, a'r Athro Paul Barbier

56

penillion singer Pedr James, and the harpists David Roberts 'Telynor Dall Mawddwy', Mrs Gruffydd Richards 'Pencerddes Mynwy' and Miss Maggie Jones 'Telynores Arfon', all dressed in traditional Welsh costume.

There was one notable exception in the Welsh delegation. Under the influence of Lady Augusta Herbert and the Celtic renaissance in Ireland, the Anglo-Welsh siblings Frederick, Gwenffreda and Mallt Williams had devised a costume for the Welsh gentry. Only Frederick's portrait survives from the Congress, but Mallt Williams's photograph, perhaps taken by John Wickens, appeared in several Welsh magazines between 1904 and 1906. Their striking appearance fired the imagination of journalists. Under the headline 'The Welsh Eisteddfod. A national Costume', *The Fiery Cross* reproduced the following article from the *Liverpool Mercury*:

> At the Gorsedd the bards secured new recruits in the persons of 'Y Ddau Wynne' and their brother Mr F. G. R. Williams, of Aberclydach, the three, from the picturesque character of their dresses, attracting universal attention. As this was the first attempt at reproducing the ancient dress of the Welsh nobility, it may not be out of place to give it here some prominence . . . Yesterday, the Heir of Aberclydach

David Roberts 'Telynor Dall Mawddwy', Mrs Gruffydd Richards 'Pencerddes Mynwy' a Miss Maggie Jones 'Telynores Arfon'.

Cafwyd un eithriad nodedig ymhlith y ddirprwyaeth o Gymru. Dan ddylanwad y Fonesig Augusta Herbert a'r dadeni Celtaidd yn Iwerddon, dyfeisiwyd gwisg ar gyfer boneddigion Cymru gan y brawd a'r ddwy chwaer Eingl-Gymreig Frederick, Gwenffreda a Mallt Williams. Dim ond y portread o Frederick yn y Gyngres sydd wedi goroesi, ond ymddangosodd ffotograff o Mallt, wedi ei dynnu, o bosibl, gan John Wickens, mewn amryw o gylchgronau yng Nghymru rhwng 1904 a 1906. Llwyddodd yr olwg drawiadol a oedd arnynt i danio dychymyg newyddiadurwyr. Dan y pennawd 'The Welsh Eisteddfod. A national Costume', atgynhyrchodd *The Fiery Cross* yr erthygl ganlynol o'r *Liverpool Mercury*:

> At the Gorsedd the bards secured new recruits in the persons of 'Y Ddau Wynne' and their brother Mr F. G. R. Williams, of Aberclydach, the three, from the picturesque character of their dresses, attracting universal attention. As this was the first attempt at reproducing the ancient dress of the Welsh nobility, it may not be out of place to give it here some prominence . . . Yesterday, the Heir of Aberclydach

showed his fellow-countrymen how the Welsh chieftain of the eleventh century was dressed, closefitting doublet and hose of native home-spun production, with a loose wine-coloured cloak hanging over his shoulders, fastened on the right shoulder by a large gold clasp, and a small cap with a single spray of Welsh heather as its solitary ornament . . . 'Gwenfreda Ferch Brychan's' robe may be described as Lleucu Llwyd's dress of white relieved by a little red. The long white shimmering silk dress was trimmed with red, while the head-dress of white tulle was trimmed with corals and St David's diamonds. A bright wine-coloured cloak thrown lightly over the left shoulder, completed a most graceful and striking dress. Her sister, Miss Mallt, wore a slight variation of the same costume.[63]

Mallt Williams, who was a frequent visitor to Ireland, had already attempted to extend the Irish Home Industries movement to Wales, and her suggestions for a native costume were favourably reviewed by the likes of Ceridwen Peris, editor of the women's magazine *Y Gymraes*.[64] In 1907 Augustus John recommended that:

> in the matter of *costume*, there might and *should* be a popular movement . . . Let the young men of Wales insist on their young Welshwomen eschewing last year's metropolitan vulgarities, assuming instead the tall hat, the shawl, the buckles, etc., of their

grandmothers – on pain of instant desertion! . . . Let us rouse the old Merfyn from his slumber of ages and welcome Arthur back! And so, I guess, the hidden soul of Welsh art will be found crouching under those grey cromlechs, that stand, the only monuments of Wales, upon the slopes of her immemorial hills.[65]

In his contribution to the same volume, T. H. Thomas stressed the importance of 'the vast and untouched region of Cymric romance and tradition, the strange personages and actions of the earlier Mabinogion and the chivalry of the later tales', which the Williams family had attempted to emulate.[66] However, the Welsh situation was different from that of the Irish. Any domestic industries which might have been revived had gone into terminal decline long ago and there was no comparable Anglo-Welsh ascendancy in the Cardiff of the early twentieth century. Although some art schools existed, the attention of Welsh artists and politicians, with few exceptions, was increasingly focused on London.

The Manx delegates had been criticized following the Dublin Congress of 1901 for wearing what was denounced as 'the garb of denationalisation', i.e. modern clothes. However,

[63] Leamhenach, 'The Welsh Eisteddfod: A National Costume', *The Fiery Cross*, VIII (1902), 6–7.

[64] Un o'r Ddau Wynne, 'Patriotism and the Women of Cymru', *Young Wales*, IV (1898), 115; Ceridwen Peris, 'Miss Mallt Langland Williams (Merch Brychan Brycheiniog)', *Y Gymraes*, IX, no. 101 (1905), 17–18; Marion Löffler, 'The Life of a Romantic Nationalist. Mallt Williams', *Planet*, 121 (1997), 58–66.

[65] Augustus E. John, 'Art in Wales' in Thomas Stephens (ed.), *Wales To-day and To-morrow: 80 Authors. 80 Portraits* (Cardiff, 1907), p. 351.

[66] T. H. Thomas, 'Art in Wales' in ibid., p. 356.

showed his fellow-countrymen how the Welsh chieftain of the eleventh century was dressed, closefitting doublet and hose of native home-spun production, with a loose wine-coloured cloak hanging over his shoulders, fastened on the right shoulder by a large gold clasp, and a small cap with a single spray of Welsh heather as its solitary ornament . . . 'Gwenfreda Ferch Brychan's' robe may be described as Lleucu Llwyd's dress of white relieved by a little red. The long white shimmering silk dress was trimmed with red, while the head-dress of white tulle was trimmed with corals and St David's diamonds. A bright wine-coloured cloak thrown lightly over the left shoulder, completed a most graceful and striking dress. Her sister, Miss Mallt, wore a slight variation of the same costume.[63]

A hithau'n ymwelydd cyson ag Iwerddon, yr oedd Mallt Williams eisoes wedi ceisio lledaenu yng Nghymru syniadau'r mudiad Diwydiannau Cartref Gwyddelig, a chymeradwywyd ei hawgrymiadau ar gyfer gwisg frodorol gan rai fel Ceridwen Peris, golygydd y cylchgrawn merched *Y Gymraes*.[64] Ym 1907 argymhellodd Augustus John:

Ond ynglŷn â gwisgoedd fe allai ac fe *ddylai* fod mudiad poblogaidd. Y mae hyn yn wir bwysig. Boed i lanciau Cymru erchi i'r llancesi Cymreig i ochel aflun-bethau Llundeinig y tymor diweddaf, a mabwysiadu yn eu lle yr het hir, y betcwn, yr esgidiau, &c., a wisgai eu neiniau, ar boen cael eu gadael yn hollol ddisylw ar unwaith! . . . Deffrown Ferfyn Hen o'i gwsg oesol, a

Y genedlaetholwraig Gymreig, Alice Matilda 'Mallt' Langland Williams, Aberclydach, sir Frycheiniog

The Welsh nationalist, Alice Matilda 'Mallt' Langland Williams, Aberclydach, Breconshire

rhoddwn roesaw i Arthur yn ol. Ac mi dybiaf y ceir fod enaid cudd Celf Gymreig yn llechu o dan y cromlechau llwydion sy'n sefyll, – yn unig gof-golofnau Cymru – ar lechweddau ein mynyddoedd tragwyddol.[65]

[63] Leamhenach, 'The Welsh Eisteddfod: A National Costume', *The Fiery Cross*, VIII (1902), 6–7.

[64] Un o'r Ddau Wynne, 'Patriotism and the Women of Cymru', *Young Wales*, IV (1898), 115; Ceridwen Peris, 'Miss Mallt Langland Williams (Merch Brychan Brycheiniog)', *Y Gymraes*, IX, rhif 101 (1905), 17–18; Marion Löffler, 'The Life of a Romantic Nationalist. Mallt Williams', *Planet*, 121 (1997), 58–66.

[65] Augustus E. John, 'Celf yng Nghymru' yn Thomas Stephens (gol.), *Cymru Heddyw ac Yforu: 80 o Ysgrifenwyr. 80 o Ddarluniau* (Caerdydd, 1908), t. 357.

Sophia Morrison, secretary of *Yn Cheshagh Ghailckagh*, had sought the advice of E. E. Fournier d'Albe, the General Secretary, even before the first Congress and she was duly 'appointed a member of the Sub-Committee of the Manx Language Society, for the purpose of designing a Manx National Costume'.[67] Together with Ada Corrin, she drew up a report on 'National Costume on the Isle of Man', which was presented several times between 1901 and 1907. It voiced their ideas of a dress 'modelled on the Irish costume of the 11th century . . . in the hope that they may stimulate others to take up this important question, and evolve a costume for the Manx people, which, artistic and practical, shall at the same time be a symbol of their nationality and their patriotism'.[68] Sophia Morrison's efforts, however, never extended beyond initial contacts with the Scottish Home Industries Association and, as a result, the twenty-seven delegates from the Isle of Man appeared in modern clothes at Caernarfon. The most likely explanation is that the faithful few on the island lacked the resources to develop their ideas. They were obliged to give priority to collecting what remained of their language,

[67] Manx Museum and Library, MS 9594, Sophia Morrison Papers, Box 8, E. E. Fournier to Sophia Morrison, 23 July 1901.

[68] Manx Museum and Library, MS 9594, Sophia Morrison Papers, MS 140.

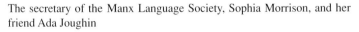

The secretary of the Manx Language Society, Sophia Morrison, and her friend Ada Joughin

Ysgrifennydd Cymdeithas yr Iaith Fanaweg, Sophia Morrison, a'i chyfeilles Ada Joughin

William Moore, Llefarydd y Tynwald, senedd Ynys Manaw

William Moore, The Speaker of the Tynwald, the government of the Isle of Man

Yn ei gyfraniad yntau i'r un gyfrol, tanlinellodd T. H. Thomas bwysigrwydd '[m]aes enfawr rhamant a thraddodiad Cymru sydd hyd yma heb ei gyffwrdd, cymeriadau a gweithredoedd dieithr y Mabinogion hynaf, a *chivalry* y chwedlau diweddarach' – elfennau y ceisiodd y teulu Williams eu mawrygu a'u hefelychu.[66] Fodd bynnag, yr oedd y sefyllfa yng Nghymru yn wahanol i un Iwerddon. Yr oedd y diwydiannau cartref y gellid bod wedi eu hadfywio wedi hen ddiflannu ac nid oedd arweiniad Eingl-Gymreig cyfatebol i'w gael yng Nghaerdydd ar ddechrau'r ugeinfed ganrif. Er bod rhai ysgolion celf a chrefft yn bodoli yng Nghymru, gyda rhai eithriadau yn unig Llundain oedd canolbwynt sylw artistiaid a gwleidyddion Cymru.

Wedi Cyngres Dulyn ym 1901 beirniadwyd cynrychiolwyr Ynys Manaw am wisgo 'the garb of denationalisation', h.y. dillad modern. Fodd bynnag, yr oedd Sophia Morrison, ysgrifennydd *Yn Cheshagh Ghailckagh*, wedi ceisio cyngor E. E. Fournier d'Albe, yr Ysgrifennydd Cyffredinol, cyn y Gyngres gyntaf hyd yn oed, ac fe'i penodwyd yn aelod o is-bwyllgor Cymdeithas yr Iaith Fanaweg 'for the purpose of designing a Manx National Costume'.[67] Aeth ati gydag Ada

[66] T. H. Thomas, 'Celf yng Nghymru' yn ibid., t. 362.
[67] Amgueddfa a Llyfrgell Ynys Manaw, Llsgr. 9594, Papurau Sophia Morrison, Bocs 8, E. E. Fournier at Sophia Morrison, 23 Gorffennaf 1901.

The cover of the patriotic magazine *Mannin*

Clawr y cylchgrawn cenedlgarol *Mannin*

[69] J. Tilbrook and G. House (eds.), *The Designs of Archibald Knox for Liberty and Co.* (London, 1976).

[70] Manx Museum and Library MS 1129C, Correspondence between Sophia Morrison and W. Cubbon, 1913–14.

[71] R. H. Kinvig, *The Isle of Man: A Social, Cultural, and Political History* (Liverpool, 1978), pp. 163–6.

[72] *Western Mail*, 1 September 1904.

conducting language classes and petitioning education authorities on the island and at Whitehall. The most famous Manx artist of the time, Archibald Knox (1846–1933), though designing decidedly Celtic-inspired patterns for Liberty & Co., London, did not choose Celtic themes for the few designs he executed for the national movement before the First World War.[69] His cover for the new national magazine, *Mannin*, was received with more than disappointment by Sophia Morrison, as her letter to a fellow-editor shows:

Herewith I return Mr Knox's drawing, which does not appeal to me. I cannot say that I like it. The letters are not legible, the heavy downstroke irritating – and the canaries! (Entre nous) the design would be quite the right thing for a menu card. I don't think it is good enough for *Mannin* . . . I wish we had thought of asking Mr Fournier to design a cover for *Mannin*. Were the Azores discovered in the days of the old Celts?[70]

An additional explanation for the lack of success in developing a national tradition of design may be that, of all the Celtic nations, the Isle of Man enjoyed the largest measure of political independence and thus it might not have felt the need to establish a connection with the past through costume.[71] This impression is reinforced by the speech delivered by A. W. Moore before the Celtic Congress at Caernarfon, in which he transgressed the rule that politics were outlawed. He plainly stated that:

the best solution of existing problems in Parliament was to institute a general scheme of devolution or Home Rule all round. He hoped to see a truly Imperial parliament dealing solely with Imperial questions, and local assemblies for each nationality dealing with its distinctively home affairs.[72]

His robust sentiments were enthusiastically applauded.

From the outset the eight Cornish members of the Pan-Celtic Association encountered considerable problems. Their *Kowethas Kelto-Kernoweg* had been refused membership of the Association in 1901 on the grounds that Cornish was no longer a living language. The Celtic Congress of Caernarfon, however, decided to admit Cornwall as a Celtic nation. The leaders of the Cornish language revival, Henry Jenner, his wife, and the Reverend Percival Treasure chose to be photographed in their Gorsedd robes,

Corrin i lunio adroddiad ar 'National Costume on the Isle of Man', a chyflwynwyd hwnnw sawl tro rhwng 1901 a 1907. Mynegwyd ynddo syniadau am wisg, 'modelled on the Irish costume of the 11th century . . . in the hope that they may stimulate others to take up this important question, and evolve a costume for the Manx people which, artistic and practical, shall at the same time be a symbol of their nationality and their patriotism'.[68] Nid aeth ymdrechion Sophia Morrison, serch hynny, ymhellach na chychwyn trafod gyda Chymdeithas Diwydiannau Cartref yr Alban ac, o ganlyniad, dillad modern a wisgai'r ddirprwyaeth o saith ar hugain o Ynys Manaw yng Nghaernarfon. Mwy na thebyg nad oedd gan yr ychydig o selogion ar yr ynys yr adnoddau i ddatblygu eu syniadau. Bu'n rhaid iddynt roi blaenoriaeth i gasglu'r hyn a oedd yn weddill o'u hiaith, cynnal dosbarthiadau Manaweg, a deisebu'r awdurdodau addysg ar yr ynys ac yn Llundain. Er bod darlunydd enwocaf Ynys Manaw, Archibald Knox (1846–1933), yn dylunio patrymau Celtaidd ar gyfer Liberty & Co. yn Llundain, ni ddefnyddiodd themâu Celtaidd yn yr ychydig waith a gyflawnodd dros fudiad cenedlaethol Manaw cyn y Rhyfel Byd Cyntaf.[69]

Â chryn siom y derbyniwyd ei gynllun clawr i'r cylchgrawn cenedlaethol *Mannin*, fel y dengys ymateb Sophia Morrison:

> Herewith I return Mr Knox's drawing, which does not appeal to me. I cannot say that I like it. The letters are not legible, the heavy downstroke irritating – and the canaries! (Entre nous) the design would be quite the right thing for a menu card. I don't think it is good enough for *Mannin* . . . I wish we had thought of asking Mr Fournier to design a cover for *Mannin*. Were the Azores discovered in the days of the old Celts?[70]

Eglurhad tebygol arall am ddiffyg diddordeb Ynys Manaw mewn gwisg genedlaethol oedd fod ganddi fwy o annibyniaeth wleidyddol na'r holl genhedloedd Celtaidd eraill ac, o'r herwydd, ni theimlai gymaint o angen i ymgysylltu â'r gorffennol trwy gyfrwng gwisg genedlaethol.[71] Cadarnheir yr argraff hon gan araith a draddodwyd gan A. W. Moore gerbron y Gyngres Geltaidd yng Nghaernarfon, pryd y torrodd y rheol na ddylid trafod gwleidyddiaeth. Dywedodd yn blwmp ac yn blaen:

> the best solution of existing problems in Parliament was to institute a general scheme of devolution or Home Rule all round. He hoped to see a truly Imperial parliament dealing solely with Imperial

[68] Amgueddfa a Llyfrgell Ynys Manaw, Llsgr. 9594, Papurau Sophia Morrison, Llsgr. 140.

[69] A. J. Tilbrook a G. House (goln.), *The Designs of Archibald Knox for Liberty and Co.* (London, 1976).

[70] Amgueddfa a Llyfrgell Ynys Manaw, Llsgr. 1129C, Gohebiaeth rhwng Sophia Morrison a W. Cubbon, 1913–14.

[71] R. H. Kinvig, *The Isle of Man: A Social, Cultural, and Political History* (Liverpool, 1978), tt. 163–6.

although Jenner had more than once presented himself at the National Eisteddfod in a revived Cornish costume, which was described as 'consisting of a blue tunic and kilt, relieved by the yellow Cornish national flower, the broom plant, with sandals and cap copied from old metal examples in the British Museum', where, incidentally, he worked.[73]

The somewhat tumultuous end of the closing evening concert of the Celtic Congress of Caernarfon, which attracted an audience of over four thousand people, indicated the problematic nature of the Pan-Celtic Association which finally led to its demise sometime around 1913. The *Western Mail* report figured among the more benign articles written on that occasion:

> Two unfortunate circumstances marked the close at a late hour of the second Pan-Celtic Congress at Caernarvon. Lord Castletown (the president) led to the platform Mr Lloyd George, the borough member, who had just arrived by mail from London for the express purpose of manifesting his personal interest in, and sympathy with, the congress. The whole crowd rose excitedly to greet him and loudly cried out for a speech. This he was unwilling to do, but the crowd would not be denied. As he proceeded to deliver a short address a member of the audience loudly protested against such interference with the

Leaders of the Cornish language revival, Henry Jenner and his wife, and the Reverend Percival Treasure

Arweinwyr y dadeni iaith yng Nghernyw, Henry Jenner a'i wraig, a'r Parchedig Percival Treasure

[73] *North Wales Observer and Express*, 12 September 1902.

questions, and local assemblies for each nationality dealing with its distinctively home affairs.[72]

Cafodd gymeradwyaeth frwd am ddatgan ei farn mor bendant.

O'r cychwyn cafodd wyth aelod Cernyw o'r Undeb Pan-Geltaidd gryn drafferthion. Ym 1901 gwrthodwyd i'r *Kowethas Kelto-Kernoweg* ymaelodi â'r Undeb am nad oedd y Gernyweg bellach yn iaith fyw. Serch hynny, penderfynodd y Gyngres Geltaidd yng Nghaernarfon dderbyn Cernyw fel cenedl Geltaidd. Dewisodd Henry Jenner a'i wraig, a'r Parchedig Percival Treasure, sef rhai o arweinyddion adfywiad yr iaith Gernyweg, gael eu lluniau wedi eu tynnu yn eu gwisgoedd Gorseddol, er bod Jenner fwy nag unwaith wedi ymddangos yn yr Eisteddfod Genedlaethol mewn gwisg Gernywaidd adfywiedig a ddisgrifiwyd fel 'consisting of a blue tunic and kilt, relieved by the yellow Cornish national flower, the broom plant, with sandals and cap copied from old metal examples in the British Museum', lle, gyda llaw, y gweithiai.[73]

Daeth cynulleidfa o ragor na phedair mil i'r cyngerdd min nos i ddwyn gweithgareddau Cyngres Geltaidd Caernarfon i ben. Yr oedd y diweddglo cythryblus braidd yn arwydd o natur ddadleuol y mudiad, a hynny yn y pen draw a achosodd ei dranc rywbryd oddeutu 1913. Yr oedd yr adroddiad a ymddangosodd yn y *Western Mail* ymhlith y caredicaf ar y pwnc:

Two unfortunate circumstances marked the close at a late hour of the second Pan-Celtic Congress at Caernarvon. Lord Castletown (the president) led to the platform Mr Lloyd George, the borough member, who had just arrived by mail from London for the express purpose of manifesting his personal interest in, and sympathy with, the congress. The whole crowd rose excitedly to greet him and loudly cried out for a speech. This he was unwilling to do, but the crowd would not be denied. As he proceeded to deliver a short address a member of the audience loudly protested against such interference with the concert programme. An enthusiastic Welsh-woman promptly struck the protester with her umbrella, and Mr Lloyd George, after a few words of congratulations, sat down.

At the close of the concert, which had been intended to be exclusively Welsh, a pianist immediately after the Welsh National Anthem had been sung, struck up the opening bars of 'God Save the King'. Loud murmurs of protest arose. An excitable Irish delegate jumped on his feet, threw down his chair, and stalked out. The two local secretaries sat with folded arms on the platform. Members of the committee left the platform and the audience struck up 'Auld Lang Syne'.[74]

[72] *Western Mail*, 1 Medi 1904.
[73] *North Wales Observer and Express*, 12 Medi 1902.
[74] *Western Mail*, 3 Medi 1904.

The leader of the Cornish delegation, Henry Jenner   Arweinydd dirprwyaeth Cernyw, Henry Jenner

concert programme. An enthusiastic Welsh-woman promptly struck the protester with her umbrella, and Mr Lloyd George, after a few words of congratulations, sat down.

At the close of the concert, which had been intended to be exclusively Welsh, a pianist immediately after the Welsh National Anthem had been sung, struck up the opening bars of 'God Save the King'. Loud murmurs of protest arose. An excitable Irish delegate jumped on his feet, threw down his chair, and stalked out. The two local secretaries sat with folded arms on the platform. Members of the committee left the platform and the audience struck up 'Auld Lang Syne'.[74]

Even though the ceremonies and costumes of the Pan-Celtic Association may appear fantastic and even ridiculous today, they were a Celtic reflection of the *Zeitgeist* of their times. The fact that most of the Pan-Celts chose to recommend eleventh-century costumes based on descriptions in the medieval Irish tales mirrors more general European tendencies of looking back to the craft-orientated middle ages for inspiration – from Wagner, the Pre-Raphaelites and Ruskin to the Arts and Crafts Movement and *fin-de-siècle* Vienna. In Britain this movement climaxed in a spate of historic pageants staged at the turn of the century, and into which the three Congresses

Er bod seremonïau a gwisgoedd yr Undeb Pan-Geltaidd yn ymddangos yn rhyfedd a hyd yn oed yn chwerthinllyd i ni heddiw, yr oeddynt yn adlewyrchiad Celtaidd o ysbryd yr oes. Y mae'r ffaith fod y Pan-Geltiaid wedi dewis argymell gwisgoedd o'r unfed ganrif ar ddeg a oedd yn seiliedig ar ddisgrifiadau yn y chwedlau canoloesol Gwyddelig yn adlewyrchu tueddiadau Ewropeaidd mwy cyffredinol, sef chwilio am ysbrydoliaeth yng ngwaith crefft yr Oesoedd Canol – o Wagner, y Cyn-Raffaëliaid a Ruskin i'r Mudiad Celf a Chrefft a Fienna *fin-de-siècle*. Ym Mhrydain, cyrhaeddodd y mudiad ei anterth mewn llu o basiantau hanesyddol a lwyfannwyd ar droad y ganrif. Yr oedd y tair Cyngres a gynhaliwyd gan yr Undeb Pan-Geltaidd yn cydweddu'n berffaith â pherfformiadau o'r fath. Daeth y duedd hon i ben gyda'r dathliadau lliwgar ar achlysur Pasiant Cenedlaethol Cymru yng Nghaerdydd ym 1909 a dathliadau arwisgo Tywysog Cymru yng Nghaernarfon ym 1911. Fel yn achos Cyngresau'r Undeb Pan-Geltaidd, bwriad y seremonïau hyn, o bosibl, oedd uno'r dosbarthiadau bonheddig dan warchae â'r werin-bobl er mwyn eu galluogi i symud o'r cyrion i ganol eu diwylliant.[75] O safbwynt mwy

[74] *Western Mail*, 3 Sep 1904.

[75] Hywel Teifi Edwards, 'Pasiant Cenedlaethol Caerdydd 1909' yn *Codi'r Hen Wlad yn ei Hôl, 1850–1914* (Llandysul, 1989), tt. 239–83; John S. Ellis, 'The Prince and the Dragon: Welsh National Identity and the 1911 Investiture of the Prince of Wales', *Cylchgrawn Hanes Cymru*, 18, rhif 2 (1996), 273.

Mrs Gruffydd Richards 'Chief Harpist of Gwent'

Mrs Gruffydd Richards 'Pencerddes Mynwy'

[75] Hywel Teifi Edwards, 'Pasiant Cenedlaethol Caerdydd 1909' in *Codi'r Hen Wlad yn ei Hôl, 1850–1914* (Llandysul, 1989), pp. 239–83; John S. Ellis, 'The Prince and the Dragon: Welsh National Identity and the 1911 Investiture of the Prince of Wales', *Welsh History Review*, 18, no. 2 (1996), 273.

held by the Pan-Celtic Association blended quite seamlessly. With the colourful National Welsh Pageant in Cardiff in 1909 and the celebrations performed on the occasion of the investiture of the Prince of Wales in Caernarfon in 1911, this trend came to an end. Like the Congresses of the Pan-Celtic Association, such ceremonies may have been designed 'to unite a beleaguered upper class searching for a new role in the nation' with the people, enabling the former to move from the periphery to the centre of their culture,[75] but, on a more general level, the delegates can be seen to have represented those stateless nations of Europe which were keen to close the gaps in their array of national customs. Celtic costumes, native sports, and traditional music and instruments were means of creating national traditions and supporting their claims to nationhood. With the end of the First World War, the political map of Europe changed radically and its cultural history took a different direction. The October Revolution in Russia opened a period of AgitProp and realism. Modernism was to rule supreme for the following fifty years and the hunt for a past appeared to be over.

cyffredinol, gellir ystyried y dirprwyaethau Celtaidd yn gynrychiolwyr y cenhedloedd diwladwriaeth yn Ewrop, a oedd yn awyddus i arddangos eu defodau cenedlaethol. Yr oedd y gwisgoedd Celtaidd, y mabolgampau brodorol, y gerddoriaeth a'r offerynnau traddodiadol yn fodd i greu traddodiadau cenedlaethol ac yn cefnogi eu hawl i genedligrwydd. Wedi'r Rhyfel Byd Cyntaf newidiwyd map gwleidyddol Ewrop yn llwyr a throes ei hanes diwylliannol hefyd i gyfeiriad gwahanol. Rhoes y Chwyldro yn Rwsia gychwyn ar gyfnod o *AgitProp* a realaeth. Byddai moderniaeth yn teyrnasu am yr hanner can mlynedd nesaf ac, i bob golwg, yr oedd y chwilio am orffennol wedi dirwyn i ben.

Miss Maggie Jones 'Telynores Arfon'

• Miss Maggie Jones 'Harpist of Arfon'

Pan-Celts in the rain at the end of the Congress

Y Pan-Geltiaid yn y glaw ar ddiwedd y Gyngres

The end of an era: Hwfa Môn died a year
later in 1905

Diwedd cyfnod: bu farw Hwfa Môn
ymhen blwyddyn ym 1905

ACKNOWLEDGEMENTS

The University of Wales Centre for Advanced Welsh and Celtic Studies wishes to thank Mrs E. M. Clapson and Mr Nigel Hewitt and also the following institutions for their kind permission to reproduce works from their collections:

Gwynedd Archives and Museums Service, pp. 6, 7, 11, 16, 33, 35, 39, 40, 44, 46, 47, 53, 54, 55, 56, 60, 61, 64, 66, 68, 69, 71

The National Library of Wales:
> Department of Manuscripts and Records, pp. 20, 30–1, 34, 38, 39, 43, 45, 46, 47, 48, 52, 55, 65, 70, front cover
>
> Department of Pictures and Maps, pp. 10, 14
>
> Department of Printed Books, pp. 22, 27, 42, 49, 59, 62

Birmingham Central Library, pp. 8, 9, 23

Mrs Joan Morgan, Tregarth, pp. 10, 19, back cover

Mrs E. M. Clapson, pp. 1, 4

Manuscripts Department, University of Wales, Bangor, Archive, p. 13

The Royal Photographic Society, Bath, p. 17

CYDNABYDDIAETHAU

Y mae Canolfan Uwchefrydiau Cymreig a Cheltaidd Prifysgol Cymru yn dymuno diolch i Mrs E. M. Clapson a Mr Nigel Hewitt yn ogystal ag i'r sefydliadau canlynol am eu caniatâd caredig i atgynhyrchu gweithiau o'u casgliadau:

Gwasanaeth Archifau ac Amgueddfeydd Gwynedd, tt. 6, 7, 11, 16, 33, 35, 39, 40, 44, 46, 47, 53, 54, 55, 56, 60, 61, 64, 66, 68, 69, 71

Llyfrgell Genedlaethol Cymru:
> Adran Llawysgrifau a Chofysgrifau, tt. 20, 30–1, 34, 38, 39, 43, 45, 46, 47, 48, 52, 55, 65, 70, clawr
>
> Adran Darluniau a Mapiau, tt. 10, 14
>
> Adran Llyfrau Printiedig, tt. 22, 27, 42, 49, 59, 62

Llyfrgell Ganolog Birmingham, tt. 8, 9, 23

Mrs Joan Morgan, Tregarth, tt. 10, 19, clawr cefn

Mrs E. M. Clapson, tt. 1, 4

Adran y Llawysgrifau, Prifysgol Cymru, Bangor, t. 13

Cymdeithas Ffotograffig Frenhinol, Caerfaddon, t. 17